Vertrouwen in jou

Barbara Voors

Vertrouwen in jou

Vertaald uit het Zweeds door
Janny Middelbeek-Oortgiesen

DE GEUS

Derde druk

Oorspronkelijke titel *Tillit till dig*, verschenen bij Gedins Förlag, Stockholm

Published by agreement with Salomonsson Agency
Omslagontwerp Mijke Wondergem
Omslagillustratie © Clayton Bastiani/Trevillion Images
Drukkerij Haasbeek BV, Alphen a/d Rijn

Dit boek is gedrukt op FSC-gecertificeerd papier

ISBN 978 90 445 1336 3
NUGI 302

Voor André

Heel veel dank aan mama, papa en Hanna

Saga

A Anlag

AANLEG *eerste begin, 'zaadje' (voor iets), erfelijke aanleg, gave, talent*

Een zomervakantie, zoveel beloofde je mij. Je hield je woord: je schonk mij er verschillende. Ik weet niet of het zo simpel lag dat ik jou koos. Dat jij uitverkoren werd of dat jij mij al veel eerder had gekozen. Nog steeds weet ik niet hoe het leven in elkaar zit. Het is zesentwintig jaar geleden dat mijn vader en moeder mij schiepen in hun laatste daad van liefde. Het werd hun laatste Saga, hun laatste kind: ik. Saga is een lange vrouw, nog steeds ik. Ik ben het die op een avond, nu langgeleden, gaat en staat en groet en jou ontmoet. Jawel, dat moet ik zijn, hoewel er niets gecompliceerders bestaat dan proberen te beschrijven welke brokstukken een ik vormen.

Op deze wijze kan ik beginnen. Je kunt het op deze wijze uitleggen. Zesentwintig jaar geleden brachten mijn ouders mij ter wereld, na de grote opdracht te hebben volbracht een dochter te krijgen die Felicia heette: mijn zus. Als vervolg daarop kwam een Saga: hun Saga. Ik ben nog steeds van hen, ik ben er niet echt in geslaagd los te komen van het feit dat ik nog steeds van hen ben. Laten zij mij los op de dag dat ik mijn eigen kind ter wereld breng? Verliezen ze dan hun rol van voortdurende steunpilaren in de tempel die ik ben? Ik weet het niet, maar mijn ouders waren de pilaren rond mijn lichaam, als een gebitsbeugel. Zij waren het die mij overeind hielden wanneer ik wankelde. Maar ik wankelde niet zo lang, kreeg daar geen tijd voor, want op een dag waren de pilaren weg en waren Felicia en Saga twee zusjes die achterbleven in een wereld waarin een vliegtuig had besloten helemaal uit zichzelf te gaan vliegen. In plaats van te vliegen zoals de roodharige piloot had bepaald, sloeg het vliegtuig een richting in die onvermijdelijk eindigde in een grote open zee. De zee slokte mijn vader en moeder op en voorzover ik weet zwemmen ze daar nu nog. Vele malen heb ik hen bezocht en heb ik gedreven op de golven die mijn moeders boezem moeten zijn. Vele malen ben ik door mijn vaders schuimende baard gedoken. Daar wonen ze, terwijl ik op het vasteland woon en eigenlijk is dat niet vreemder dan dat sommigen in Parijs wonen en anderen in Londen.

Ik woon in Stockholm en daar woont mijn zus Felicia ook. Felicia is mijn beschermengel; dat stond in het testament dat mij over een bruine mahoniehouten tafel heen werd voorgelezen. Voor mijn achtjarige ogen zat een man met een knalrode stropdas en lange grijze bakkebaarden. Voor mijn twaalfjarige zus Felicia legde hij het document neer dat bepaalde wat wij voortaan thuis moesten noemen. Tante Britt had een verzoek ingediend of zij mocht zorgen voor de weerlozen, dat waren wij, en niemand was volwassen genoeg om te protesteren, ik nog het minst. Het enige wat papa en mama hadden geschreven was dat Felicia de beschermengel van Saga moest zijn en dan zou alles goed gaan. Ik denk niet dat ze wisten dat ze zouden sterven; dat is als het ware niet iets waar je rekening mee houdt. Felicia en ik kregen een nieuw adres, we verhuisden op de pagina's van het telefoonboek en daarna was alles duidelijk en kregen we een nieuw thuis.

Ik heb me vaak afgevraagd wat mensen bedoelen wanneer ze zeggen: 'Ik moet nu naar huis.'

Die vanzelfsprekende bevestiging van een huis dat je als je eigen beschouwt, als iets waar je de weg naartoe kunt vinden, als een thuis dat je niet wilt verlaten, als een thuis dat een plek van geborgenheid is. Zo'n plek heb ik altijd willen vinden. Ik was acht jaar toen papa en mama het vliegtuig meenamen naar het water dat hun thuis werd. Voordat dat gebeurde, had ik ook een sleutel waar THUIS op stond. Ik kon die sleutel gebruiken, hem in een slot steken, waarna de deur openging en daar, daar was mama! Uit het inwendige van het huis kwam mama aanlopen.

'Hallo!'

Uit de hoek van de garage kwam mijn vader om te vragen waar ik geweest was.

'Hallo, schat. Waar ben je geweest?'

Ik gaf altijd antwoord, maar ik weet niet meer welk. Het is niet zo constructief om terug te denken aan wat ooit is geweest en nooit meer terugkomt. Dat zei de zus van mijn moeder, Britt, iedere keer dat ik vroeg of ik ook een sleutel kon krijgen waar THUIS op stond. Dat was niet nodig, zei ze. Wanneer het een thuis was, hoefde je daar geen papieren van te hebben, en ook geen sleutel. En het was niet goed om iets te willen hebben wat je niet meer kon krijgen. Dat zei ze en daar stemde ook haar man mee in, in wiens huis Felicia en ik hebben gewoond van mijn achtste tot mijn achttiende jaar. Waar ik heb gewoond tot de dag waarop Felicia mij daar weghaalde en meenam de wereld in waarin de andere mensen leefden.

Je kunt niet direct zeggen dat mama's zuster Britt ons opsloot. Ze sloot ons niet op: ze sloot de wereld buiten.

Over was alleen haar wereld, waarin wij wel moesten wonen omdat onze ouders niet op het vasteland woonden. Felicia was de hele tijd vastbesloten Britt te verlaten. Ik was de hele tijd vastbesloten te blijven. Als dit de wereld was, de wereld van Britt, dan moest het de bedoeling wel zijn dat ik hier zou blijven. Op de een of andere manier moest dit zijn wat papa en mama hadden gewild, als ze tijd hadden gehad om iets te willen, en omdat Britt zei dat het dom was om iets te wensen wat allang voorbij was, besloot ik te blijven. Ik bleef tien jaar. Ik weet niet of tien jaar een lange tijd is, waarschijnlijk is het je hele leven. Zo voelt het.

Ze woonden ver buiten Stockholm met hun eigen drie kinderen die alles wisten van de wereld van Britt en niets van de onze. Omdat je ofwel voor ofwel tegen Britt was, waren ze vóór haar en tegen ons. Ik geloof niet dat er een andere oplossing was, eerder niet en later ook niet. Rolf, de man van Britt, was vóór Britt; hij wist niet beter of anders, of hoe het leven zich mogelijk voltrok buiten de keurige muren van zijn huis.

'Dit is een fase waar we doorheen moeten, Saga', zei Felicia altijd. 'Een fase van A tot Ö, waar je gewoon doorheen moet zien te komen. Daarna ben je vrij.'

'Maar dan is het alfabet toch op? Welke woorden moeten we gebruiken?'

'Je moet het niet letterlijk opvatten! Je moet het zo zien dat het leven dan begint. Dan haal ik je hier weg.'

Felicia was twaalf jaar en een van die twaalfjarigen die nooit twaalf, dertien of veertien mogen zijn, maar die volwassen werd op hetzelfde moment dat papa en mama gedwongen waren ons te verlaten. In één avond werd ze achttien en daarna had ze een ondefinieerbare leeftijd tot ze op een dag dertig werd en zelf een paar kinderen had. Vier jaar ouder dan ik en ze ligt mijlen op mij voor. Ik denk dat ik, in tegenstelling tot haar, altijd twaalf, dertien, of hoogstens veertien jaar ben geweest. Op de een of andere manier heb ik die leeftijd nooit losgelaten waarop tranen alles en niets oplossen, en een trillende onderlip moet fungeren als een katalysator voor het slechte geweten of de moederliefde van anderen. Britt bezat noch een slecht geweten noch moederliefde. Ze had zich opgeofferd en dat spelde ze altijd met hoofdletters.

'Ik heb me OPGEOFFERD ter nagedachtenis aan jouw moeder en het is mijn plicht om twee Vrouwen van Betekenis van jullie te maken.'

We zijn er nooit achtergekomen wat een vrouw van betekenis was, maar ik geloof niet dat Britt vond dat mijn moeder een vrouw van betekenis was. Een gelukkige vrouw, ja, maar geen vrouw van betekenis. Het is gek dat ik tegenwoordig een Vrouw van Betekenis ben, ook al is het dan op kleine schaal. Ik heb verschillende boeken geschreven en nog het een en ander, en dat wordt als belangrijk beschouwd, misschien verbazingwekkend. Ook ik ben verbaasd, vooral gezien het feit dat de letterlijke ontwikkeling waar ik doorheen moest, al voorbij is en dat ik me op achttienjarige leeftijd van punt A naar punt Ö heb geschreven, met wat hulp van mijn zus. We leefden zes jaar samen in het huis van Britt, dat was niet geslaagd, en vervolgens werd mijn zus voor de leeuwen gegooid en werd haar een nieuw entreekaartje geweigerd toen bleek dat zij tegen Britt was. Vier jaar later werd ook ik voor de leeuwen gegooid; Felicia zorgde ervoor dat dat gebeurde. Het gekke was dat ik op de een of andere manier wilde blijven. Ondanks tien jaren vol met de meest interessante en afgrijselijke familie-intriges wilde ik toch blijven. Ik wilde de enige zekerheid die ik kende niet opgeven. Felicia trok mij echter mee de wereld in en omdat ik hen verliet, was ik niet meer welkom. Daarom heb ik Britt, Rolf of hun drie kinderen in geen acht jaar gezien. Ze wonen op het platteland en bij hun huis staat: VERBODEN TOEGANG VOOR VERRADERS. Verraders, dat waren we. Misschien is dat moeilijk te begrijpen.

Nadat ik vier jaar zonder beschermengel had gezeten, kwam Felicia terug en ze reed me Stockholm in en ik durfde alleen maar mijn ogen dicht te knijpen en zij stopte op een plein en spreidde haar armen uit en zei dat het leven nu begon, maar ik had geen idee hoe dat ging. Waar begon je? Hoe zou ik een relatie kunnen hebben met iemand voor wie ik niet bang was? Hoe kon ik me veilig voelen in een omgeving die geen eisen aan me stelde, die niets vroeg, niets ter discussie stelde, geen scènes maakte, niet bedroog, geen kwaad over me sprak, niet manipuleerde? Hoe leefden anderen? Met de tijd zou ik erachter komen dat er meer mensen waren die zich dat afvroegen. Maar Felicia en ik waren de enigen die letterlijk een opengestoten en een gesloten deur achter de rug hadden en een open plein vol duiven voor ons.

'Ik ben bang', zei ik.

Ik ben bang, zeg ik nog steeds, maar misschien op een iets verfijndere manier. Tegenwoordig zeg ik: 'Hoe kan ik, die uit een relatie ben geboren, geen relatie met iemand hebben?'

Ik vraag het jullie, want jullie zijn degenen die de puzzelstukjes zullen krijgen en misschien ook de antwoorden. Jullie zullen met de scherven van Zacharias en mij zitten en jullie zullen een oordeel vellen. En jij, Zacharias, jij zult dit op jouw manier vertellen, naar eigen vermogen. Maar nu luisteren jullie naar mij en ik vertel het op deze manier: van A tot Ö, ook al zullen de letters ontbreken.

Ik heb geen echte relatie met iemand gehad, beschermengelen niet meegerekend, en ik weet niet waarom niet. Behalve dan dat relaties niet gewoon voor je opduiken en zeggen: 'Hier is jouw sleutel waar THUIS op staat. Kijk, hier is mijn exemplaar en we kunnen allebei naar huis gaan en de sleutel in het slot steken en vervolgens kunnen we zeggen: kijk, nu zijn we thuis, hier gaan we wonen.'

Zoiets gebeurt niet en omdat ik niet weet hoe het anders zou moeten gaan, gebeurt er dus niets. Papa en mama gaven mij onvoorwaardelijk een sleutel, omdat ik hun Saga was. Britt gaf mij een onzichtbare sleutel vol voorwaarden, wat inhield dat ik moest beloven nooit contact te hebben met Felicia, die eruit was gesmeten, of met de rest van de familie, die niet sympathiseerde met de gebruiken van Britt. Dat betekende dat ik tien jaar lang helemaal geen familieleden ontmoette: de grootouders van mijn moeders kant niet, de grootouders van mijn vaders kant niet en ook geen neven of nichten. Ik kan dat gemis niet op waarde schatten; het is gewoon een gegeven.

Inmiddels ben ik zesentwintig jaar en nu is het de bedoeling dat ik een eigen relatie met iemand aanga, een eigen leven schep. Als ik maar wist hoe je moest beginnen. Hopelijk zal ik een onvoorwaardelijke relatie aangaan, zoals tussen mama en mij, en niet een vol eisen en dreigementen, zoals tussen Britt en mij. Maar ik weet niet hoe dat moet. In een relatie steeds worden bedrogen, naar de regels van een ander leven, is ook een zekerheid die je kunt missen. Af en toe mis ik Britt met heel mijn hart, want de regels waren daar in elk geval duidelijk en niemand verlangde dat ik een relatie met iemand zou aangaan. Daar was geen ruimte voor. Er waren geen gevoelens om iets mee te voelen en er was geen plaats voor iemand anders. Een macabere zekerheid is ook een zekerheid en in

Britts huis leefde ik in haar wereld van regels en eisen en toen ik buitenkwam in een wereld zonder regels, was ik totaal verward. Ik wist niet hoe ik mijn weg moest vinden. De flat die de mijne zou worden, was klein en claustrofobisch en vereiste inrichting en getuttel en vrienden. Ik kende niets van dat al en ik wist ook niet waar ik dat moest vinden. Waren er geen folders?

Felicia hield van de wereld, ze zei dat ze van mensen hield – kan dat? – en ze beloofde dat ze me een kaart zou geven en ze zei dat het helemaal niet moeilijk was om de weg te vinden. Tegenwoordig weet ik de weg naar het centrum en ken ik de weg in mezelf een beetje, maar in iemand anders de weg vinden kan ik niet, want er is niemand anders die mij een thuis heeft geboden. Misschien is dat een vreemde houding, misschien is die houding logisch. Mijn zus zegt dat het het logische gevolg is van een verwrongen jeugd en dat dat diepe sporen in mij heeft nagelaten die zich langzaam in mijn persoon vastetsen. Zij denkt dat het voorbij zal gaan; zij houdt meer van mij dan absoluut noodzakelijk is. Ik denk niet dat het voorbijgaat, ik denk dat het dieper zal binnendringen, tot het zo zichtbaar is dat iedere voorbijganger het zal zien.

Op mijn voorhoofd staat al:

GEEN RELATIE MOGELIJK

Op mijn mond staat:

MOEITE OM TE PRATEN OVER WAT ER IS GEBEURD

Op mijn hart staat:

GROTE BEHOEFTE AAN EEN EIGEN THUIS

Op mijn buik staat:

MISSCHIEN DAT EEN KIND HELPT

Op mijn benen staat:

VLUCHT ZO VAAK ZE KAN NAAR ANDERE LANDEN

Op mijn voeten staat:

IK ZOU ZO GRAAG OP IEMANDS TENEN WILLEN TRAPPEN ALS JULLIE ME DAT TOESTONDEN

In plaats daarvan schrijf ik en ben ik in een aantal onbekende werelden gevlucht, waarin mensen die lezen wat ik heb geschreven zich herkennen. Dat doet me plezier, maar tegelijkertijd begrijp ik het niet: hoe kunnen jullie mij beter leren kennen, maar ik jullie niet?

Ik denk dat ik dit ben, tot nu toe, en dat er daarna meer komt, als afleveringen op televisie die elke week worden uitgezonden. Ik heb al gezegd dat je mij een zomervakantie beloofde. Daar wil ik over vertellen, over de zomervakantie van Zacharias en Saga en over wat er daarna kwam: de kwestie dat we geconfronteerd werden met de gebroken nek van een dode man en – God vergeef het ons – niets deden.

Maar voordat de zomervakantie aanbrak, was de winter in Zweden enorm lang. En na de zomer begon die winter opnieuw.

B Bekännelse

BELIJDENIS *1. bekentenis 2. religieuze leerstelling; geloofsbelijdenis*

Wie is Saga? Wie ben ik? Ik ben van plan het op deze manier te beschrijven; op deze manier moet het worden verteld. Jij zult het op jouw eigen wijze vertellen, dingen wegredeneren op dezelfde manier als ik nu doe. Dat allemaal om niets kapot te maken, om niet zo diep te snijden dat ook wij terechtkomen in de zee waarin mijn ouders wonen. Onze opdracht is om hier te leven en dat weten we. Jij zult het vertellen met je humor als belangrijkste wapen, door jouw lach en door jouw mooie ogen, waarvan ik aan één stuk door zal houden. Jij zult komen, ook al heb ik je nog niet ontmoet.

Ik zal het op mijn eigen wijze vertellen, en dat zal met grote gebaren en veel dramatiek gepaard gaan. Jij zult vragen: 'Waarom al die vragen?'

En ik zal antwoorden: 'Omdat er geen antwoorden zijn.'

Daarom moet ik immers doorgaan. Jij zult zeggen dat mijn omgeving mij beschadigd heeft en dat mijn beroep mij beschadigd heeft en dat ik naast jou zou moeten gaan liggen en nergens meer aan denken. Maar ik ben gemaakt om te denken en ik kan me niet omdraaien en tegen mezelf zeggen: 'Lieve Saga, zwijg nu! Alles is goed. Zwijg.'

Ik zal zwijgen, op een dag zal ik helemaal zwijgen, wanneer de woorden op zijn, maar ik weet nog niet wanneer die dag aanbreekt en het is ook niet bepaald iets waar ik naar uitkijk. Nu bezit ik nog woorden en ik moet vragen stellen en ik ben van plan vragen aan jou te stellen en ook jij zult vertellen. Je zult wel moeten.

Ik moet het vanaf het begin vertellen. Jullie kennen de winter. Een lange zwarte winter die tien jaren van mijn leven heeft opgeslokt. Ik weet dat dat dramatisch klinkt en tot gevolg zal hebben dat bepaalde mensen hun wenkbrauwen fronsen en zich afvragen waar dit naartoe gaat. Tien jaren komen en gaan, sommige mensen zijn veertig en merken niet dat er tien jaren zijn verstreken. Dus wat is tien jaar? Maar voor mij waren de jaren tussen acht en achttien de jaren die mijn kijk op de wereld hebben gevormd, mijn vertrouwen in de wereld. Britts gedachten, Britts handelingen waren mijn wereld en zij was degene die het besluit nam dat het het beste was dat zij voor Felicia en mij ging zorgen. Achtentwintig uur na de mededeling over de mislukte landing van het vliegtuig had ze onze koffers gepakt en ons naar haar huis op het platteland gebracht. Het leek alsof iedereen verlamd was en geen tijd kreeg om te protesteren, en omdat iedereen het erover eens was dat Britt zich enorm OPOFFERDE, konden ze er als het ware niets tegen inbrengen. Wij ook niet. Toen mijn grootouders en de rest van de familie zich vertoonden, werden ze successievelijk door Britt buitengesloten. Ze zei: 'Of ík voed ze op, of jullie.'

Ze hadden er wat van moeten zeggen. Dat hebben ze niet gedaan. Niet na zo'n OPOFFERING. Britt had kinderen, een man, een hond, een keurig huis, gehaktballen, een kat en Joost mag weten wat, en knusse, zij het angstaanjagende avondjes thuis – wat kon je nog meer verlangen? De familie verlangde niet meer en werd verzocht zich terug te trekken tot Britt op een dag, uit het diepste van een of andere waanzin, totaal met hen brak. En toen zij met hen brak, waren ook wij gedwongen met hen te breken. Ze mochten niet meer komen; wij mochten ook best bij Britt weggaan, maar in dat geval nooit meer terugkeren. Ik was acht jaar en zei tegen Felicia: 'Ik geloof niet dat ik al zo gewend ben aan het nemen van grote beslissingen.'

En Felicia durfde mij niet alleen te laten. Dus bleven we. Ergens zijn er nog steeds delen van mij achtergebleven, alsof de schroef die Britt in mijn hart draaide de enige reden is dat het nog steeds slaat. Delen van mij wonen daar nog steeds en misschien is het om die reden dat ik niet weet hoe ik me in deze wereld moet redden, omdat ik de vorige niet heb durven verlaten. Deze vrije wereld, waarin alle beslissingen je eigen beslissingen zijn, is een heel wonderlijke, en soms is het moeilijker om hierin te leven dan in een angstaanjagende wereld. Overleven in mijn 'gezin' heeft me zoveel energie gekost dat er niets is overgebleven voor de liefde. Ik kon het gewoon niet opbrengen. Iedere keer dat ik op een feest belandde waar mannen waren met wie ik iets had kunnen doen, zat ik met mijn gedachten altijd ergens anders. Terwijl de anderen dansten, dacht ik. Ik stelde mezelf de vraag of ik Britt zou ontvluchten en vroeg me af of ik oud genoeg was, of ik wel durfde. Toen ik eindelijk achttien jaar werd, stelde ik mezelf de vraag of ik nu volwassen genoeg was om een eigen leven aan te kunnen. Toen Felicia op een dag voor de deur stond te huilen en mij vroeg of ik mijn koffers wilde pakken om eindelijk te vertrekken, stelde ik mezelf nog steeds de vraag of het nu echt zover was. Toen ik in mijn eigen flat zat met de studiegids van de universiteit voor me op de grond, stelde ik mezelf de vraag hoe je opnieuw begon en waar je in dat geval het formulier voor een eigen leven in moest vullen. Terwijl mijn zus een gelukkige man in slaap kuste, stelde ik mezelf de vraag waar je mannen vond die de energie en de tijd hadden om het leven opnieuw voor mij te duiden. Een man die de tijd zou nemen om naar mijn vragen te luisteren, geen antwoorden verwachtte, mij liet zien welke weg ik zou kunnen inslaan, hoe je samen een leven kon opbouwen, waar je een huis kon bouwen. Het was als zoeken naar een wereldwonder nadat die in een rationele wereld bijna waren uitgeroeid. Ik zocht naar zo'n man; zoeken is trouwens eigenlijk een beetje overdreven, omdat ik er niets voor deed. Kijken is misschien een beter woord. Maar ik kon niet handelen, ik had totaal geen actieplan, omdat ik geen regels kende. Ik was ervan overtuigd dat degene die jij was, zich over mij zou ontfermen en mij gewoon naar Huis zou dragen. Het heeft lang geduurd – is het nu afgelopen? – voordat ik besefte dat ik het plezier zelf moest scheppen. Dat ik de enige was die dat kon doen.

Wanneer ik mijn zus Felicia zag, zag ik een gelukkige vrouw van wie ik gewoon aannam dat zij het geluk had geërfd of gewonnen, als een rechtstreeks uitvloeisel van haar naam. Geluk was iets wat je kreeg, niet iets waar je voor vocht. Als ik het haar had gevraagd, had ze misschien geantwoord: 'Nee, mijn geluk is geen prijs die ik heb gewonnen. Ik heb er strijd voor geleverd, het gekoesterd. Ik vecht iedere dag en ik sta op en glimlach en zie mezelf in de spiegel en denk: dit ben ik en als de wereld werkelijk moet worden, dan begint dat in mijn ogen.'

Dat klinkt misschien simpel, maar ik had de vraag niet eens kunnen formuleren. De enige woorden die ik kon vinden, waren: 'Hoe kan ik, die uit een relatie ben geboren, geen relatie met iemand hebben?'

En ik begreep nooit waarom niet. Ik had geen vertrouwen in iemand, had geen zelfvertrouwen, geen vertrouwen in de mensen die mij ieder uur, iedere minuut, iedere seconde van mijn leven passeerden. Als een eiland in een zeer rusteloze zee zat ik te speuren naar een boot die mij zou oppikken en hoewel ik heel goed kon zwemmen, kwam ik nooit op het idee dat ik mezelf zou kunnen redden of iemand tegemoet zou kunnen zwemmen. Dat ik me op straat naar een man zou kunnen omdraaien en zeggen: 'Ik kan mezelf redden. Maar ik zou mijn liefde zo graag willen delen.'

Gek eigenlijk, want de herinnering aan mezelf als achtjarige, voor ik werd overgeplaatst, is die aan een kind met een enorm vertrouwen. Ik was er niet alleen van overtuigd dat ik een ster zou worden: ik was al een ster. Een ander beroep bestond niet. Met een grote hoed op zou ik de wereld stormenderhand veroveren, op dezelfde manier als ik dat met mijn ouders en mijn zusje deed. Ik stormde hun leven binnen en ze hielden onvoorwaardelijk van me. Misschien kun je niet anders met een kind dat, om de aandacht te trekken, de gasten urenlang geboeid houdt en tussendoor zijn ouders wakker houdt met theatrale uitweidingen dat het nu in feite al behoorlijk lang *gedeprimeerd* is en dat niemand dat heeft opgemerkt. Misschien konden ze niet anders.

Behalve vertrouwen schonken mijn ouders mij een kapsel dat helemaal steil en rood is en dat als een shawl om mijn hoofd ligt, een lichte huid die weigert bruin te worden zoals bij anderen en een lichaam dat op de een of andere manier op zesentwintigjarige leeftijd nog steeds dat van een kind is. Ik denk dat ze ook daarvan zouden hebben gehouden.

De jaren bij Britt braken mijn vertrouwen af; millimeter voor millimeter haalde ze eraf, ze trimde mij als een hond, het ene haartje na het andere trok ze uit mijn vacht, totdat een afgrijselijke bewondering voor Britt het enige was wat overbleef. Hoe moet ik het vertrouwen terugvinden waarmee ik het leven binnenstormde, op het podium mijn handen ineensloeg, mij omkeerde en jullie recht in de ogen keek? De liefde heelt misschien alles, maar dat is niet zo simpel. Ik moet het vertrouwen zelf herstellen. Stukje bij beetje moet ik het weer opbouwen, anders zal ik op een dag dezelfde vreselijke bewondering tegen jou richten.

Jij bent er echter nog niet. Binnenkort, binnenkort kom je in mijn leven en het enige wat ik zal doen, is mijn veiligheidsriem aanhalen na een van mijn lange vluchten, uitvluchten uit Zweden. Deze keer ben ik in Afrika geweest en ik ben er niet in geslaagd de hele wereld te redden, vanwege het simpele feit dat deze niet gered wil worden. Nee, de derde wereld heeft me verteld dat we elkaar wederzijds verder zouden kunnen helpen, ook al heb ik me gerealiseerd dat ik degene ben die de meeste hulp nodig heeft. Mijn humeur is niet stralend, het is veranderlijk, het is labiel, en ik zit te zeuren en te zuchten in mijn eenzame vliegtuigstoel, terwijl ik mijn negatieve checklist opmaak, zoals altijd, van boven naar onderen. De lijst van een relatievrij leven luidt als volgt:

Wie heb ik om thuis bij terug te keren? Niemand.

Waar kan ik naar uitkijken? De volgende reis, de volgende vlucht.

Wie komt me afhalen? Felicia.

Wie zal me op het vliegveld gepassioneerd zoenen? Helemaal niemand.

Wie heeft er straks gekookt? Felicia's man.

Hoe zal het zijn om in mijn appartement terug te komen? Bedompt en afschuwelijk.

Zo gaat de lijst op dezelfde positieve manier verder en ik keer mij naar het raampje waarachter de zon schijnt, omdat 'het altijd mooi weer is als je vliegt'. Dat heeft een of andere nitwit gezegd en omdat ik zelf bijzonder intelligent ben, breng ik dat even onder de aandacht, halfluid. In werkelijkheid had ik hetzelfde geconstateerd. Dat irriteert me nog meer en het lukt me niet om ook maar één gedachte te hebben die me vrolijk stemt. Hoe zou ik ook kunnen. Er zijn geen vraagtekens, er is niemand die wat ik denk ter discussie stelt. Ik ben mijn eigen klankbord en als zodanig ben ik niet bepaald betrouwbaar. Ik scheur aan alle kanten en ik heb geen vertrouwen om daartegenover te stellen, geen energie om iets mee op te bouwen. Ik heb alleen deze vrouw die ik ben. Totdat ik door een ijskoude gedachte word overvallen.

Misschien is het leven niet zo banaal dat je opeens een gedachte krijgt waarna het leven nooit meer hetzelfde is. Mijn leven is echter wel zo banaal en ik, die niet in wonderen geloof, schep zelf een wonder. Daar ben ik heel gelukkig mee. Wanneer de gedachte mij uit een boek dat ik tussen mijn koude vingers houd tegemoet komt stuiteren, luidt ze als volgt: 'Jijzelf moet je geluk tegemoet gaan. Er is niemand die je zal bidden en smeken. Alleen jij kunt je van achttien jaren ontdoen en doorgaan met leven met het vertrouwen dat je als achtjarige had. Alleen jij kunt de wereld opnieuw duiden.'

Zo is het precies en ik houd mijn adem in en zelfs ik kan niets vinden om hiertegen in te brengen. Zelfs mijn normale checklist duikt niet op, zelfs mijn negatieve gedachten niet, die gewoonlijk bereidwillig een uitweg zouden hebben gevonden. Het is absoluut glashelder. Ik kijk eens rond en het vliegtuig is leeg, of het kan ook vol mensen zitten, maar ik ga tussen de stoelen op de grond liggen en ik houd mijn gebalde vuisten tegen mijn hart en ik fluister tegen mama, tegen papa, tegen Felicia, tegen de hele wereld fluister ik: 'Nu begin ik opnieuw. Horen jullie dat? Ik ben helemaal niet van plan om dood te gaan; ik ben van plan opnieuw te beginnen en ik weet niet hoe, maar ik zal mijn hele ik openstellen zodat ook jij zo bij mij naar binnen kunt stappen. Ik zal zo bij jou naar binnen stappen en je hebt mij al gezien, maar niets is nog voorbestemd, hoe graag ik dat ook zou willen.'

Daar begint het mee. Nu begint de film en ik haal diep adem en ik ben terug en ik ga met mijn handen over mijn borsten alsof ik ze voor jou wil prepareren. Precies hetzelfde gebaar dat jij zo vaak zult maken.

Ik verlaat het vliegtuig met maar één opdracht: jou ontmoeten, gelukkig worden en opnieuw beginnen. Het klinkt misschien alsof dat drie verschillende opdrachten zijn, maar ze komen op hetzelfde neer. Mijn enige probleem is hoe ik jou moet herkennen, nu ik eindelijk mezelf heb herkend. Hoe moet ik weten dat jij het bent? Maar ik vind dat in dit verband een minder groot probleem, vergeleken met mijn checklist die ik net in een groene prullenbak heb gegooid. Zelf ben ik groot als het heelal en ik vertrouw op mijn eigen stem, die zoveel jaren muisstil en beknot is geweest. Die stem zegt: 'Welkom terug bij de echte Saga, die achttien jaar lang aan de kant is geschoven. Ik weet dat het heel wat jaren zijn om achter je te laten, maar geloof me, ook die jaren zullen nog nuttig voor je zijn.'

Felicia haalt me samen met haar man van het vliegveld en ik sta te springen en te dansen en ik voer het verschil in tijd, het verschil in leven als excuus aan, maar ik zeg niets – hoe zou ik dit kunnen uitleggen? – en wijs in plaats daarvan hun plannen voor het eten van de hand, omdat ik weet dat ik dan met mijn checklist zal beginnen en jaloers word op hun geluk. Ik lieg en vertel dat ik al plannen gemaakt heb, wat in zekere zin ook zo is, en ze kijken een beetje verbaasd want ze weten dat ik twee maanden in Afrika heb gezeten, maar Felicia glimlacht en ik glimlach ook en ik zie dat we dezelfde glimlach hebben, hetzelfde vermogen tot geluk. Ze brengen me naar huis en ik trek de kleren aan die in mijn kast klaar hangen. Daarna belt, als was het voorbestemd, mijn jeugdvriendin om te zeggen dat we eigenlijk zouden moeten uitgaan en ik zeg dat ik al weet waar we naartoe zullen gaan en dat doen we. Zo eenvoudig kan het toch niet zijn? Ik probeer het precies zo eenvoudig te maken als ik me heb voorgenomen, en ik open mijn ogen om jou te kunnen herkennen voordat ik je ken.

Misschien heb ik gewoon geluk? Misschien is het de man achter de bar wel die met mij naar huis mag gaan. Misschien is het de puistige man in de deuropening die mijn hand mag vasthouden. Misschien is het de blonde man die de ene plaat na de andere draait. Maar jij bent het. Ik laat mijn vriendin in een grote ruimte achter en loop naar een veranda. De zon is boven de daken van Stockholm ondergegaan en hier buiten is het een enorm gedrang en er wordt bier over mijn jurk gemorst, hij is groen, en ik vraag me af waarom ik zo lach. Ik praat met iedereen die naast me staat en ik vraag me af waar ze mijn hele leven hebben gezeten en ik ben zo bang dat gauw, heel gauw de betovering verbroken zal worden en dat Britt tegen mij zal roepen: 'Wat is er zo leuk? Je moeder kon ook zo klinken. Ze vond altijd dat het leven gemakkelijk was. En misschien dat zij er zo tegen aan kon kijken, met zo'n man en zulk schunnig geluk. Ik had dat niet. Hoe had ik gelukkig kunnen zijn hier *in the middle of nowhere* met een man die niets wil? Zo ziet de wereld eruit en het heeft totaal geen zin te proberen daar verandering in aan te brengen.'

Ik houd mijn handen voor mijn oren want ik wil haar niet horen, ik wil niet luisteren naar haar verklaringen. Niet nu, niet nu ik net een eigen verklaring heb gevonden.

Helemaal links van me vraagt een man hoeveel punten je kunt krijgen voor een echt oude jeugdvriend.

'Sorry?'

'Ja, als iemand hier vanavond een prijs moet krijgen dat hij de gaafste is, dan kun je net zo goed meteen al beginnen met punten verzamelen. En ik dacht: hoe meer vrienden ik maak, hoe meer punten ik krijg. En omdat ik hier een jeugdvriend heb, vind ik dat dat bonuspunten zou moeten opleveren.'

'Maar ik heb hier ook een vriendin', zeg ik.

'Hoelang al?'

'Al twintig jaar.'

'Dan versla ik jou.'

'Maar dat is niet eerlijk, want jij bent ouder.'

'Hoe weet je dat?'

'Je ziet er zo oud uit.'

'Achtentwintig jaar.'

'Dan heb je toch meer tijd gehad om vrienden te maken dan ik.'

'Maar jij kunt een lagestatusbonus krijgen. Als compensatiepunten.'

Jij bent het grootste kind dat ik ooit heb gezien. Ik ben nog nooit een volwassen man tegengekomen die vergeet dat hij volwassen is en die meteen, zonder het te vragen, met die mengeling van liefde, schrammen en ernst waarmee dat gepaard zal gaan, besluit dat hij wil spelen. Ik ben mannen tegengekomen die hebben geprobeerd mij te bewonderen, geprobeerd mij te verleiden, geprobeerd mij te imponeren, geprobeerd mij te kopen, maar ik ben nog nooit iemand tegengekomen die meteen met mij begon te spelen. Het is net alsof jij een spel hebt en mij een dobbelsteen geeft en zegt: 'Nu ben jij aan de beurt om te gooien.'

En ik gooi en daarna is niets meer hetzelfde. Ik ga binnen nul seconden van zesentwintig naar acht jaar en ik heb nog nooit gehoord dat een auto dat record heeft verbeterd. Het is het vreemdste dat ik heb meegemaakt. Het is veel heerlijker dan ik had gedacht.

Die avond pakken we onze fiets en rijden we door het park, waar jij me leert hoe ik op mijn achterwiel moet rijden, zelf op je rug valt en als een kind dat indruk wil maken slipt in het grind zodat ik ga gillen van enthousiasme. Ik gil en ik lach en jij vertelt me, in vertrouwen, dat we meedoen op MTV en dat dit een rechtstreekse uitzending is en of ik me maar niet beter een beetje zou opdoffen? Dat beloof ik en we stappen een bar binnen en alle andere mensen zijn figuranten en terwijl we onze interviews geven, wuiven we naar de camera.

'Ben je al lang bekend?' vraag ik boven een pilsje met twee rietjes.

'Zolang ik me kan herinneren. Ik ben tegenwoordig in elk geval gewend aan rechtstreekse uitzendingen. En jij?'

'Sinds mijn tiende. Ik geef voornamelijk kranteninterviews en zo. Draai je trouwens niet om, daar staan een paar fans.'

'Weet ik. Die zijn van mij. Ik ben vooral rockster. En jij?'

'Ik ben ook een ster.'

Je kijkt me aan met de vreemdste ogen; het is alsof andere krachten dan menselijke ze doen glinsteren en soms moet je huilen van het lachen. Je kijkt me aan alsof je wilt zeggen: kom binnen. Dat mag. Kom maar binnen.

We pakken onze fiets en rijden door rood, laten ons achterstevoren de heuvel afrollen, plukken bloemen in het park, houden koffiepauze op een trottoir, verwisselen onze schoenen, imiteren voorbijgangers, spelen schipper mag ik overvaren, totdat ten slotte de ochtend aanbreekt en het spel voorbij is en ik doodsbang ben dat de betovering is verbroken. Jij brengt me naar huis; het is zomer en het ruikt naar Zweden en Afrika is erg ver weg, net als Britt, en jij fluistert: 'Ik denk niet dat we elkaar nog zien.'

Ik krijg het ijskoud en kijk je aan.

'Ik ben parttime spion en ga een paar maanden in een trainingskamp. Maar ik bel je maandag. Ze houden er toch al rekening mee dat ik misschien ontsnap.'

Je belt mij maandag.

Je bent lang en hebt spieren die me bijna bang maken wanneer we elkaar omhelzen. Je haar staat recht overeind en is donker en je hebt bruine ogen die de hele tijd lachen. God weet waarom, maar ze lachen.

C Charm

CHARME *het vermogen om aantrekkelijk over te komen*

Kan het zo simpel zijn dat je maandag belt en dat je mij vraagt om met je mee de wereld in te trekken die voor jou heel simpel en verklaarbaar is? Zo simpel ís het en wanneer jij belt, sta ik mijn groene jurk te strijken.

'Met mij. Zacharias.'

'Ik weet niet wie jij bent.'

'Ik ook niet. Ik heb je hulp nodig. Ik heb tijdens de oefening mijn identiteitsplaatje verloren en heb wat advies nodig zodat ik een nieuwe identiteit kan opbouwen. Wat zeg je daarvan?'

'Nu meteen?'

'Dat lijkt me het beste. Dat dat geregeld is. Die identiteitskwesties regel je niet in een handomdraai.'

'Maar tijdens een etentje?'

'Als jij betaalt.'

'Moet ík betalen?'

'Natuurlijk! Meisjes hebben het al generaties lang veel te goed gehad. Ik ben van plan revanche te nemen voor mijn broeders.'

'Ik begrijp je niet?'

'Het is maar beter dat we hier op een meer geciviliseerde manier over uitgeruzied raken. We zien elkaar waar we de laatste film hebben opgenomen. En neem je fiets mee.'

Ik neem mijn fiets mee en mijzelf, goed ingepakt in de groene jurk die tot mijn knieën reikt en die ik moet optrekken om te kunnen fietsen. De mannen die ik tegenkom kunnen vast zien dat ik veranderd ben, ze kunnen vast zien dat ik fiets zonder kaart. Dat is nog nooit eerder gebeurd en ik begrijp niet hoe ik de weg zo goed kan vinden. Ik stop voor een rood licht waar mannen staan en we praten met elkaar en het is grappig, want de betovering is nog niet verdwenen en ook met hen kan ik lachen.

Jij staat waar we laatst stonden en je fiets is zwart en staat tegen de regenpijp aan. Ik word heel verlegen want ik weet niet hoe ik me moet gedragen, omdat ik nog niet heb begrepen dat jij mijn allerbeste vriend bent. Ik heb nog niet begrepen dat je mannen altijd als vrienden moet behandelen: niet als mogelijke minnaars, verzorgers, redders, mannen van de toekomst die in staat zijn je kinderen en status te geven. Vanachter mijn rode haar kijk ik naar jou en je ziet er niet echt uit zoals ik me je herinner. Je bent helemaal echt en ik zie door je overhemd heen dat je een beetje haar op je borst hebt en dat je armen nog steeds helemaal gespannen zijn. Je hebt een brede mond, alsof er plaats moet zijn voor alle woorden en je lach. Ik heb nog nooit een man zo horen lachen. Je huilt niet, maar je kunt zo lachen dat je ervan moet huilen en zoiets heb ik sinds ik klein was niet meer meegemaakt. Mijn vriendin en ik moesten altijd zo lachen dat we ervan gingen huilen en het in onze broek deden, wat zo vaak gebeurde dat we uiteindelijk besloten om een badpak onder onze kleren aan te doen.

Jouw ogen zijn nog steeds enorm mooi en ze glinsteren, maar je bent zo verschrikkelijk echt en ik word bang en verlang terug naar de wereld waarin ik altijd geleefd heb en althans de weg in mijzelf goed ken. Je omhelst me en je begint aan me te trekken en met me te spelen, als een kind met een ander kind. We gaan het restaurant binnen en ik weet niet wat jij doet – of misschien zijn wij het allebei? – maar opnieuw zitten we midden in een film waarin iedereen lacht en met ons praat of iets zegt waardoor de film verder draait. Nog steeds weet ik niets over jou, wie je bent, wat je doet, waar je vandaan komt. Komen uitverkoren mensen uit een uitverkoren land? Of heb je altijd in de portiek naast me gewoond? Ik heb geen ervaring in de omgang met uitverkoren mensen die na een ingeving in een vliegtuig rechtstreeks je leven binnenstappen en het totaal veranderen. Geen enkele ervaring. Maar zo gaat dat dus.

'Ik ben vrachtwagenchauffeur.'

'En ik ben winkelbediende.'

'Ik rij lange, lange nachten door de donkere bossen van Zweden en af en toe stop ik om te worden uitgelaten.'

'Laat je jezelf uit?'

'Ja, en mijn hond die de benzine altijd bijvult. Daar is hij voor getraind. Benzinebijvulhonden heten ze en ze zijn heel erg zeldzaam.'

'Zou ik er een kunnen krijgen? Ik heb altijd gedroomd van zo'n hond voor mijn auto, die Urban heet en geel is', zeg ik.

'Jawel, als jij een hond uitzoekt kunnen we die wel trainen, maar het kost jou en de hond een paar jaar van intensieve cursussen bij Shell.'

'Ik heb de tijd.'

'Dat geloof ik. Als ik heel eerlijk ben, dan denk ik dat we alle tijd van de wereld hebben.'

Dat zeg je en je kijkt mij voor het eerst op de hele avond met een serieuze blik aan en ik ben hulpeloos in de war, zoek weer naar jouw lach, want deze ernst is meer dan ik kan verdragen.

Stel je voor dat het nu voorbij is, stel je voor dat de volwassen ernst zo de speelkamer binnenstapt en ons hart in beslag neemt? Stel je voor dat het hier nu altijd bij blijft en dat ik naar mijn flat terug moet en alleen nog in een kringetje kan blijven ronddraaien? Stel je voor dat er helemaal geen film komt, niet eens een première waarvoor ik me mooi kan uitdossen? Stel je voor dat het enige wat overblijft, een handvol filmstrookjes is die op mijn bagagedrager zal belanden om vervolgens tussen de spaken te raken en mij pardoes ten val zal brengen? Stel je voor dat er verder niets gebeurt en dat die kwestie van zelf je geluk kiezen alleen maar woorden waren die tijdens een aanval van vermoeidheid tot mij kwamen? Mijn ogen tranen en ik kijk naar het servet op mijn schoot, laat niets blijken, zeg niets.

Maar jij zegt gewoon: 'Ik denk dat we maar met het dessert beginnen. Wat vind jij?'

Ik lach.

'Dat klinkt goed. Desserts zijn toch het enige waar ik in geïnteresseerd ben.'

'Ik ook.'

En alles begint opnieuw en alleen al wanneer we ons naar hen toekeren, lijkt het of de mensen om ons heen beginnen te lachen en ik probeer te ontdekken wat jij doet, totdat ik me realiseer dat het ook door mij komt dat het zo gaat. Dat ik het ben die die lach al zoveel jaren binnen in zich draagt. Dat ik het ben, en als het niet door de tien jaren bij Britt kwam, dan zou die lach niet zo diep hebben gezeten, maar de hele tijd aan de oppervlakte hebben gelegen en zijn opgeborreld, zoals nu gebeurt. Opeens vraag ik me af wat er van mij zou zijn terechtgekomen als ik in al die jaren nooit ergens het slachtoffer van was geworden. Als ik mijn loopbaan van ster op achtjarige leeftijd had kunnen vervolgen en mijn ouders hadden kunnen doorgaan met schunnig gelukkig zijn. Misschien had ik hier dan nu niet gestaan, maar was ik, in mijn eigen ogen, zo onweerstaanbaar geweest dat niemand mij had kunnen uitstaan. Dat is een vreemde gedachte en de eerste positieve die ik ooit over de plotselinge verdwijning van mijn ouders heb gehad. Want het is een vreselijke vloek om zulk geluk boven je te hebben. Te leven met de herinnering aan je ouders als de twee absoluut gelukkigste mensen op de hele wereld. Dat maakte de verhuizing naar Britt zoveel moeilijker, vooral omdat zij niet geloofde in het bestaan van geluk. Toen ik volwassen werd, heeft het beeld van hun geluk mijn eigen geluk in de weg gestaan. Hoe zal ik mij ooit met hen kunnen meten? Als de film verder had kunnen draaien en zij nooit waren gestorven, dan waren ze misschien gescheiden, misschien ook niet, en had ik ruzie met mijn moeder kunnen maken, mijn vader bij tijd en wijle kunnen haten en dan waren de jaren verstreken en had ik hen kunnen zien zoals ze waren: als mensen. Nu zijn ze net drijvende engelen in een zee waar ik keer op keer in ben gedoken om hen te bezoeken. Nooit waren ze echt, bewogen ze zich, lachten ze, vertelden ze mij dingen, maakten ze zich belachelijk, waren ze gênant, hadden ze wat te veel gedronken. Dus heb ik dat beeld van een perfect huwelijk meegedragen en vervolgens Britts wereld gezien, waarna ik een eigen wereld moest scheppen. Er klopte niets van.

Tot nu. Jij kijkt mij aan en hoewel je niets kunt weten, zeg je dat het niet zo moeilijk is en dat ik in mijn binnenste een achtjarig kind heb behouden, net als jij, maar dat het geen egoïstisch kind is maar een kind dat wil liefhebben en dat eindelijk iemand heeft gevonden om mee te spelen. Op de een of andere manier is het betoverend: dat je voor elkaar geschapen bent. Op de een of andere manier is het verwoestend. Hoe kan ik ontkomen?

Ik wil niet ontkomen en jouw gemakzucht is aanstekelijk en midden in de nacht vinden we midden in een weiland, midden in de stad een zwembad, en we kleden ons uit en ik weet dat we niet dood zullen gaan. Ik kan niet doodgaan, want dit is geen zee maar een zwembad en daar ben je nooit alleen, daar zijn altijd andere mensen en er drijven dingen en er is chloor. En jij bent er. De maan schijnt in het zwembad en kleurt ons diep witblauw en jij springt rond als een gek en lacht naar mij dat ik moet opschieten. Ik duik en ik ben onder water en jij vangt mij niet op, want je laat me zelf drijven. Dat leer je me al vanaf het begin: dat ik zelf moet kunnen drijven, dat er niemand is die dat voor mij kan doen. Je leert mij dat beste vrienden naast elkaar zwemmen, maar nooit om elkaars reddingsboei te zijn. Ik kom weer boven water en precies op het moment dat de druk op mijn oren verdwijnt, verdwijnen zo veel jaren van mijn leven, zonder dat ik begrijp waar ze gebleven zijn. Verdwijnen is misschien een verkeerd woord, maar op de een of andere manier worden ze verklaarbaar. Ik zie nu Britts afgunst, jaloezie, en hoe die haar vanbinnen helemaal donker heeft gekleurd en er de oorzaak van is dat ze het vermogen om lief te hebben zo totaal heeft verloren. Ik zie ook twee ouders, oma en opa van moeders kant, die van hun ene dochter meer hielden dan van de andere. Mag je dat doen? Ik zie hoe ik de jaren na Britt heb besteed aan het maken van definities, heb geprobeerd mezelf te verheerlijken, martelaar te zijn, Felicia heb gevraagd voor mij te zorgen, heb geweigerd volwassen te worden maar in plaats daarvan papa en mama de hele tijd heb gevraagd terug te keren uit zee, op iemand heb gewacht. Ik zie hoe de jaren zijn verstreken en dat ik niets heb gedaan om ze te stoppen, niet eens heb gezien hoe de tijd verdween, niet heb beseft dat je die goed kunt besteden, dat de tijd meer is dan iets wat je volplant tot het eindelijk avond is en je mag gaan slapen en mag vergeten dat de volgende dag precies zo doorgaat als de vorige, omdat je niets hebt ondernomen om dat te voorkomen. Het is tegelijkertijd wreed en fantastisch dat de dag van morgen is wat ik er vandaag van maak, niet meer en niet minder.

Nee, het leven is geen reis die je kunt boeken, bevestigen en vervolgens betalen. Dat had ik wel verwacht en ik heb gehuild, omdat er nooit iemand belde en ik begreep niet dat ik degene was die de hoorn moest opnemen. Terwijl de verbittering diepe voren trok in mijn te jonge huid, heb ik dat nooit begrepen.

Mijn hoofd is boven water en ik zie alleen sterren voor mijn ogen en ik vertel mezelf dat nu nu is en dat ik ervoor moet zorgen dat jij nooit verloren gaat. Ik vertel dat het er niet toe doet of jij uitverkoren bent of niet, of ik gezien word of niet, want nu moet ik opnieuw beginnen.

Jij zwemt naar mij toe en ik adem heftiger en jij gaat naast me staan en ik buig me naar voren en jij zegt: 'Wil je van mijn schouders duiken?'

Ik merk dat jij vindt dat Romantiek en de Juiste Momenten vreselijk zijn, dat dat er is voor mensen die geen fantasie hebben en dat jij in de eerste plaats plezier wilt maken. Regels voor de omgang tussen man en vrouw, zoals ik gedurende heel mijn volwassen leven uit boeken en films heb geleerd, verwerp jij totaal. Het is alsof jij door middel van ieder ontwapenend gebaar wilt zeggen: laten we niet doen wat we zouden moeten doen. Laten we lachen wanneer we vrijen. Laten we huilen wanneer we gelukkig zijn. Laten we vergeten hoe je moet zijn wanneer je samen bent en in plaats daarvan elkaars beste vrienden zijn en tegelijkertijd minnaars. Laten we elkaar ontslaan van de patronen der liefde en in plaats daarvan onze eigen patronen zoeken. Als jij dat wilt, wil ik best een vrouw zijn; ik zou het fantastisch vinden als jij een man wilde zijn. Wanneer je daar behoefte aan hebt, ben ik weer een man; wanneer ik er behoefte aan heb, ben jij een vrouw. Als je wilt kan ik je vriend zijn. Je beste vriend.

Je zegt alles en je zegt niets en we lachen weer en we zwemmen samen tot we blauw zien en ik oranje vlekken over mijn hele lichaam begin te krijgen, zoals altijd wanneer ik het koud heb. Jij kijkt ernaar en bent gefascineerd en pakt mijn arm beet alsof het de arm van een vriend is en je kijkt naar mijn koude benen, buik en hals. En zegt: 'Je hebt kippenvel.'

'Is dat mooi?'

'Heel mooi. Denk je dat het verdwijnt als we warme chocolademelk gaan drinken?'

'Dat denk ik wel.'

'Ik kan je laten zien waar ik woon, want daar schenken ze veel warme chocolademelk.'

'Ze?'

'Mijn benzinehonden kunnen ook andere dingen dan benzine bijvullen.'

'Natuurlijk.'

Je leent mij jouw kleren, die ik over mijn jurk aantrek want jij hebt besloten naakt te gaan fietsen. Tot je mijn verschrikte blik ziet.

'Een andere keer dan maar.'

Dankbaar knik ik, terwijl ik me tegelijkertijd afvraag waar ik dankbaar voor moet zijn. Jouw woning is klein en ligt vol leuke boeken en tijdschriften en platen die weinig over jou zeggen, en er staat een groot bed dat niets over jou zegt. Overal hangt een jongensgeur en er liggen keurige stapels kleren in de kast en rommelige stapels op je bureau. In de boekenkast staan ongewassen theekopjes en er zijn nergens honden te bekennen.

'De honden hebben vakantie. Dat was ik vergeten te zeggen. Heb jij ook een lekker recept voor warme chocolademelk?'

'Ik heb een recept dat gegarandeerd niet kan mislukken en dat bestaat uit een heleboel melk en iets minder O'boy.'

'Is het zo simpel? Ik heb me altijd afgevraagd hoe je het maakt.'

Jij staat in je keukentje een lied te zingen dat ik nog nooit eerder heb gehoord en waarschijnlijk verder ook niemand. Het lijkt zelfgemaakt, net als de chocolademelk.

Ik besluit al mijn kleren uit te trekken en in je bed te gaan liggen. Het is net of ik denk dat we niet langer dan tot zonsopgang de tijd hebben en dat dan alles verloren zal zijn, of ik denk dat het het beste is dat ik opschiet voordat alles voorbij is en jij spijt krijgt. Zonder dat ik het begrijp, probeer ik alles te bederven, zodat het kapotgaat voordat het überhaupt is begonnen. Ik ben zo bang dat ik je zou kunnen gaan missen, dat je mij pijn zou kunnen doen, dat ik besluit het te bederven voordat het pijn begint te doen. Ik weet niet of het normaal is om zo te doen, alleen dat ik zo doe. Misschien wil ik je op de proef stellen. Als je mij gaat zien als een Lelijk Meisje, dan is het niets waard. Als je met mij gaat vrijen en alles is daarna voorbij en heel geforceerd – hoef ik niet te huilen, omdat er niets was wat de moeite waard was om te verliezen. Als je achter mij Mij ziet, dan kan alles opnieuw beginnen. Het is niet gering wat ik van iemand verlang die ik vier dagen ken. We hebben kilometers praten en lachen achter de rug, kilometers slippen in het grind en momenten van spel en natte zwembroeken. Maar hoe kun je mij kennen?

Jij komt binnen met warme chocolademelk en je ziet dat ik onder de lakens lig en dat mijn blik warm en koud tegelijk is en dat ik Saga ben. Misschien ben je toch uitverkoren. Jij ziet dat ik niet alles ben wat ik doe en je hebt een rust en een kennis over je die op die van mijn vader lijken en ik begrijp er niets van. Jij zegt: 'Ik ken je niet, Saga.'

Ik schud mijn hoofd.

'Ik weet dat je Saga heet, dat je zesentwintig bent. Ik weet niet wat je doet, waar je vandaan komt.'

Ik knik.

'Jij weet dat ik Zacharias heet, dat ik achtentwintig ben en jij weet ook niet wat ik doe.'

Ik knik. Je zegt niets meer, kijkt rond en ik schaam me en bloos en weet niet wat ik moet zeggen, terwijl jij aan de deken bij mijn voeten zit te plukken. Opeens kijk je op en zeg je tegen mij, als een verdrietig kind dat iets is kwijtgeraakt waarvan het hield: 'Ik wil niet dat alles al voorbij is voordat het überhaupt is begonnen.'

Je kijkt me aan en nu ben ik sterk en je strekt je hand naar mij uit en gaat naast me liggen en we houden elkaar tegen onszelf aan. Niets is voorbij, op dit moment begint het en onze lippen liggen tegen elkaar en jij smaakt naar aardbeien en zomervakantie en nooit heb ik zulke mooie ogen gezien.

Ik fluister, ik ben het die fluistert: 'Niets is voorbij. Niets.'

D Dominus vobiscum

DOMINUS VOBISCUM *(Lat.) de Heer zij met u*

Jij leeft in de werkelijkheid en daar zal ik naartoe moeten om jou te vinden. Want daar leef jij. Dat is niet eng, dat is niet moeilijk, dat doet geen pijn. Jij leert mij – vertrouwen. Daarom moest ik wel beginnen met leven; dat was mijn keuze.

Ik weet niet of het gerechtvaardigd is geluk te beschrijven, maar ik denk het wel. Momenten van geluk zijn net zo zeldzaam geworden als tijden van diep verdriet. Het is alsof we meenden dat wanneer we eindelijk volwassen waren alles voorbij zou zijn, maar we zijn zelf helemaal verantwoordelijk voor hoe ons leven eruit zal zien en we hebben langzamerhand ontdekt dat we niemand de schuld kunnen geven als alles verkeerd gaat. Helemaal niemand. We staan met lege handen en moeten ons eigen leven opbouwen, en we wenden ons wanhopig tot het verleden om de spoken te vinden waarmee we ons appartement zullen inrichten. Zelf heb ik dat ook gedaan en ik had twee contrasterende beelden om mee te leven, dat van mama en dat van Britt, en ik weigerde om een eigen beeld te zoeken. Geluk was iets dat ik had gehad, was kwijtgeraakt en nooit meer terug zou krijgen. Ik heb me nooit gerealiseerd dat ik dat zelf opnieuw zou kunnen veroveren.

Het is de ochtend van de eerste dag en de zon schijnt zelfs en we eten bosbessen in melk op jouw balkon, dat door de uitlaatgassen is vervuild. Jij ziet eruit als een god, in je Afrikaanse ochtendjas die van je vader is geweest, en je lange benen heb je over de balustrade van het balkon gehangen. Mijn jurk is gekreukt, maar nog steeds groen en jij hebt een hand op mijn knie gelegd en onderzoekt de som van de wondjes van mijn zomers.

'Wanneer is dit gebeurd?'

'Dat litteken kreeg ik toen ik tegen de uitlaat van de motor aan kwam. Het was heel heet en ik had het gevoel dat mijn huid zou loslaten en begon te koken.'

'Zweerde de wond ook?'

'Die zweerde inderdaad en nu is het een litteken ter nagedachtenis aan een vijfjarige Saga die steeds maar rondjes door de wijk reed op een rode motor.'

'Waar ligt die wijk?'

'Buiten de stad.'

'Ver?'

'Redelijk.'

'En je ouders?'

'Die leven niet meer.'

'Waarom niet?'

'Omdat ze dood zijn.'

'Hoe is dat gebeurd?'

'Dat gaat jou niets aan.'

Ik ben doodsbang voor jouw vragen en jouw toenaderingspogingen en het geeft me een vreemd gevoel met jou serieus te zijn. Ik ga naar binnen en wil jouw bed opmaken, vraag me niet waarom, en jij komt achter me aan en duwt me omver en gaat boven op mij liggen.

'Kan iemand dat zomaar zeggen?'

'Als je dat wilt.'

'En dat wil jij?'

'Ja.'

'Dan doe je dat. Dan zal ik wel vertellen. Ik heet Zacharias. Ik ben architect, ik bouw luchtkastelen en af en toe echte. Mijn ouders leven nog, ze zijn gezond en wonen in een van de niet zo trendy buitenwijken van de stad. Als het aan mijn moeder had gelegen, was het anders gelopen. Dan had ze, met of zonder mijn vader, in een moeilijk in te richten maar zeer exquise appartement gewoond, speciaal ontworpen door haar man.'

'Is je vader ook architect?'

'Dat wilde zij. Maar hij is gewoon ingenieur, ternauwernood afgestudeerd.'

'Zíj wilde dat? Wat bedoel je?'

'Dat gaat je niks aan', zeg je lachend.

Ik houd je tegen me aan, ik houd je op afstand. Je bent net een lens van een camera waarmee ik het ene moment inzoom, het andere uitzoom. Het is alsof ik niet weet wat ik met je aan moet. Er zijn niet veel mannen in mijn leven geweest en niemand zoals jij. Ik weet niet wat ik van jou moet maken, welke plaats je zult opeisen. Keer op keer duw ik je over de rand zodat je er genoeg van zult krijgen en zult beseffen dat ik niet ben wat jij wilt hebben. Ik maak me onmogelijk, ik stel vragen, ik gedraag me vreemd, ik weiger je toe te laten. Of omgekeerd: ik ben bereikbaar, ik vraag je met mij te doen wat je wilt, ik vertel alles en het zijn alleen maar leugens en te midden van dat alles verlang ik van je dat je me begrijpt.

Op een avond bel je, zeg je dat je naar me toe komt en ik zeg dat dat eigenlijk niet kan, omdat we elkaar gisteravond nog hebben gezien en dat dat wel genoeg is voor deze week. Even later wordt er aangebeld en jij staat voor de deur en ik bewonder je geduld, ik bewonder mezelf niet, en jij kijkt verdrietig. Je neemt me bij de hand zoals je altijd doet, en legt me op bed en vervolgens ga je boven op mij liggen, alsof we gaan vrijen, wat we nog nooit hebben gedaan.

'Wat doe jij met mij?' vraag je.

'Ik weet het niet.'

'Je hebt geen vertrouwen in mij.'

'Inderdaad.'

'In wie heb jij vertrouwen?'

'In niemand. Jawel, in mijn zus Felicia misschien, maar dat is meer erfelijk bepaald.'

'Je hebt medelijden met jezelf.'

'Ja.'

'Dat is geen goed begin.'

'Nee.'

'Maar wel een heel effectief einde.'

'Ja.'

'Wil je dat?'

'Nee.'

Ik fluister en ik druk je steviger tegen me aan en ik weet niet, ik weet wel waarom ik alles zo onmogelijk maak. Het zal nooit worden zoals op het plaatje dat ik boven mijn koelkast heb opgehangen, en omdat niets klopt, kan ik maar net zo goed alles meteen tegenhouden.

Jij zegt: 'Als je van elkaar houdt, wil je bij elkaar zijn. Ik begrijp niet hoe het anders zou kunnen zijn. Kan het niet zo eenvoudig zijn? Zo eenvoudig?'

'Maar ik ben bang.'

'Vertrouw op mij.'

Ik vertrouw op jou en jij houdt mijn hand vast en je kust

mijn lippen en trekt me tegen je aan zodat ik geen uitweg, achterdeur, nooduitgang, kortere weg zal kunnen vinden. Je houdt mij tegen je aan en nu ben ik degene die wenst dat je niet zult verdwijnen. Nooit. Dat is eng en ik ben bang dat ook jij een vliegtuig ver, ver weg zult nemen en nooit meer terug zult komen. Je trekt al mijn kleren uit en hoewel ik weet hoe het gaat, weet ik niets en ik adem tegen je oor en vraag je om hulp. Jij fluistert: 'Help jezelf. Ik kan niets doen.'

Dat is tegelijkertijd troostrijk en onaangenaam en ik besluit te groeien en ik keer me naar de spiegel aan de muur en ik kijk mezelf in de ogen en ik denk: beter dan dit wordt het niet, en ik zal mezelf verafschuwen als ik hier niet middenin leef.

'Wanneer begin je opnieuw?'

'Nu.'

'Waar?'

'Hier.'

'Besta jij?'

'Ja.'

'En ik besta. Daar moet jij mij aan herinneren.'

Ik keer me naar je toe en ik herhaal het keer op keer: 'Ik besta.'

Terwijl ik je help met uitkleden, fluister ik. Terwijl ik mijn hoofd op jouw schouder leg en aan je ruik. Terwijl ik helemaal warm ben met heel koude handen. Terwijl ik je help mij te vinden: 'Ik besta.'

Jij knikt en ligt tegen mijn borsten aan en jij ademt en jij weet dat dit niet de laatste keer kan zijn en jij bent in mij en ik kijk je in de ogen.

'Dit is niet de laatste keer.'

Jij glimlacht: 'En niet de eerste.'

'Nee.'

En ik voel je tegen heel mijn lichaam en ik vraag me af hoe iemand die zo tastbaar is, zesentwintig jaar zo afwezig heeft kunnen zijn.

De volgende dagen, weken, maanden denk ik dat we onweerstaanbaar zijn. Onweerstaanbaar. Ik denk, de hele tijd denk ik: het gaat voorbij, binnenkort is het voorbij.

Alsof geluk een veer is die er trillend in de wind alleen maar op wacht overboord te vallen.

"Binnenkort is het voorbij."

Het gaat niet voorbij.

Felicia vraagt zich af waar ik ben gebleven. Ik zeg: 'Ik fiets.'

Ik lieg niet. Ik had net zo goed kunnen zeggen: 'Ik heb zomervakantie.'

Of heel simpel: 'Ik ben verschrikkelijk gelukkig.'

Maar dat durf ik niet. Ik geloof ook niet dat jij dat durft. Jij zegt alleen: 'Pak je fiets en kom.'

Ik kom. We spreken af op een brug en ik loop naar beneden en huur een boot en roei weg in de gracht die nu van ons is. Je haar is helemaal donker en je ogen kijken mij lachend aan. We stoppen met roeien en liggen ondersteboven gekeerd met ons gezicht naar de sterren en God strekt zijn hand naar ons uit en streelt onze wangen en we zijn opnieuw kinderen. Bij jou ben ik kind en ik weet niet hoe dat allemaal gekomen is. Hoe kan ik nu kind zijn, terwijl ik aarzelde toen ik er nog de leeftijd voor had? Jij lijkt helemaal niet verbaasd. Jij lijkt te vinden dat het leven meestal zo is. Zomervakantie. We trekken de boot op de kant en gaan in een bosje liggen dat groen ruikt en jij pakt mijn hand en zegt: 'Wat doe jij wanneer je geen zomervakantie hebt?'

'Ik geloof niet dat ik dat wil vertellen.'

'Waarom niet?'

'Ik ben bang dat dat alles kapot zou maken.'

'Wat kapotmaken?'

'Wat we doen. Dat we lachen. Jouw beeld van mij.'

'Denk je dat dit een betovering is die voorbijgaat?'

'Ja.'

'Betoveringen gaan niet voorbij. Je stapt zo naar binnen en daarna ben je de persoon die je altijd hebt willen zijn. Ik maak jou tot degene die je wilt zijn en dat doe jij ook met mij. Maar een betovering, dat is het niet.'

'Ik schrijf.'

'O. Wat?'

'Ik heb boeken geschreven.'

'Heb ik die gelezen?'

'Dat weet ik niet!'

'Ik lees niet zo veel.'

'Nee?'

'Ik leef meer. Ben je goed in schrijven?'

'Ja. Het is het enige wat ik kan.'

'Ben je goed in leven?'

'Dat weet ik niet.'

'Zeg: ja, dat denk ik wel.'

'Ja, dat denk ik wel.'

'Dat denk ik ook. Misschien heb je gewoon de kans nog niet gewaagd. Nu heb je die.'

Ik had niet gedacht dat je goed zou kunnen zijn in leven. Ik dacht dat sommigen geluk hadden en anderen niet. Ik had geen geluk en ik zorgde ervoor dat ik alle excuses die ik kon gebruiken gebruikte. Hoe zou ik gelukkig kunnen worden, het leven kunnen willen, nadat ik zo veel jaren geen geborgenheid had gekend? Hoe zou ik zonder vertrouwen gelukkig kunnen worden? Hoe zou ik gelukkig kunnen worden wanneer mijn ouders al de gelukkigste mensen waren en dat geluk meenamen het graf in? Nee, voor mij bleef het verdriet over en dat droeg ik gewillig op mijn afhangende schouders alsof die alleen voor die taak waren gemaakt. Ik bedacht alle denkbare excuses om maar niet te hoeven deelnemen, en alle excuses werden aanvaard omdat ik het meest overtuigende verdriet had van allemaal. Mijn opa zei een keer, toen we elkaar voor het eerst in tien jaar zagen en ik van een ster in iemand zonder vertrouwen was veranderd: 'Ik heb schoon genoeg van dat verdriet. Ik wil er niets mee te maken hebben. Je moeder is verdwenen en je vader ook en ook tien jaar van je leven. Maar zo erg is dat niet. Dat is helemaal niet zo erg, integendeel, om die reden begint het nu leuk te worden. Zo moet het gewoon zijn. Iets anders verdraag ik niet.'

Maar ik weet niet of opa en oma weten hoe je plezier moet hebben; ze werden iedere avond, iedere dag door hun Geweten verteerd, en ik heb nooit geweten hoe ik hen daarvan moest verlossen. Ook ik wist niet hoe je plezier moest hebben. En ook al wilde Felicia het nog zo graag, ook zij kon mij niet helpen. Onze rollen lagen onwrikbaar vast: zij de gelukkige, ik degene die saga's vertelde. In het beschrijven van de wereld was ik goed, in het erin leven niet. Gaat dat samen? Ik weet het niet. Ik weet alleen dat ik op een ochtend in juli wakker werd; ik was net twintig geworden en wist dat mijn verstand bezig was de concurrentiestrijd met de woorden te verliezen en dat er geen uitweg meer was. Er was maar één kans en ik ben nooit gelukkiger geweest dan de keer dat ik die greep. Ik schreef over de tijd die voorbij was, over de jaren bij Britt, over het wantrouwen, over de eenzaamheid, over het gemis, over de krankzinnigheid waarvan ik zo bang was dat die in mij gereïncarneerd zou blijken te zijn. Dat Britt besmettelijk was, dat zij de krankzinnigheid rechtstreeks bij mij naar binnen zou hebben laten lopen en dat ik die voor altijd als een Kaïnsteken onder mijn huid zou dragen. Dus schreef ik; dat hield de angst bij de deur weg en ik barricadeerde hem met mijn woorden, ik had een vrijplaats gekregen en ik voelde me gered. Voor even was ik gered en daar was ik erg gelukkig mee: dat ik mezelf had gered. Bladzijde na bladzijde vloeide uit mijn pen en ten slotte wist ik niet meer wie alles vertelde, waar het vandaan kwam. Net zo onwetend als de lezer was ik, en opnieuw verloor ik de greep en wist ik niet meer wat ik wilde zeggen, wie ik was. Om te kunnen schrijven moet ik weten wie ik ben. Keer op keer moet ik dat voor mezelf bevestigen: 'Ik besta.'

Misschien weet ik op dit moment niet méér, of jawel, één ding weet ik: ik ben in staat tot geluk. Het is heel gemakkelijk om in staat te zijn tot verdriet. Helemaal niet moeilijk en ik was daar expert in en natuurlijk, ik had ook mijn redenen, en er waren regels in deze wereld en ik bleef bij de bekommerden en wist helemaal de weg niet in de onbekommerde wereld. Ik stond voor mijn eigen leven met vrije keuzes, en verlamd van schrik hield ik me vast aan wat ik kende: de weemoed, het verdriet, de zwaarmoedigheid. En ik had mijn aanleidingen daartoe.

Ik het huis van Britt golden de wetten van Britt. Als Felicia een 'zonde' had begaan, werd ik meteen voor hetzelfde gestraft. Met een ingenieus doordacht systeem zou zij ons van elkaar scheiden, zodat er van papa en mama's geluk dat ze zo verafschuwde, niets overbleef. De liefde die de kit tussen ons was. Ze zou ons scheiden, ook al moest ze er een mes voor gebruiken en ze sloot ons ieder in onze eigen kamer op met het licht uit. Het gebeurde wel dat ze na een poosje binnenkwam en zei: 'Felicia zegt dat het jouw schuld is. Dat ze daarom is vergeten boodschappen te doen. Dat ze boos op je is. Klopt dat?'

'Ja', zei ik dan altijd, want ik wist dat ze anders eindeloos door zou gaan en dat ze bij Felicia hetzelfde deed.

'Saga zegt dat het jouw schuld is. Klopt dat?'

En Felicia antwoordde: 'Ja.'

Vervolgens ontmoetten we elkaar altijd 's nachts op het dak, nadat we uit ons raam waren geklommen met dekens tegen de vochtige kou van de nacht. We zaten altijd uit te kijken over de weilanden. We beloofden elkaar nooit te gaan slapen zonder dat we alles wisten. Nooit.

'Ze is niet goed snik', zei ze.

'Nee.'

En Felicia lachte: 'Hartstikke gek!'

'Inderdaad.'

'Je mag je er niets van aantrekken.'

'Nee.'

'Maar dat doe je wel. Ik zie het. Ik moet je hier weghalen.'

'Maar dat kan niet. Ik moet blijven. Ik moet.'

'Ik begrijp je niet.'

'Ik ook niet.'

Ik begrijp het nog steeds niet helemaal en ik bleef tot ik achttien werd en Felicia huilend voor de deur stond. Ik wist dat ik eerder bij hen had kunnen weggaan, tegelijk met Felicia. Maar ik durfde niet. Britts waanzin was onberekenbaar, maar daardoor berekenbaar. Waar moest ik zonder die waanzin heen? Felicia had het altijd over opa en oma, maar ik had geen herinneringen aan hen. Geen enkele. Waar moest ik heen? Waar moest ik heen vluchten? Ik had het gevoel dat ik moest blijven om een enorme vergissing te herstellen, dat ik de enige was die dat kon. *Zodat het niet herhaald zou worden, zodat het misdrijf niet herhaald kon worden.* Ik moest dat voorkomen.

Britt zei: 'Ik hou van mijn ouders. Ik hield ontzettend veel van mijn zus. Maar ze hebben me pijn gedaan en ik verdroeg hun manier van leven niet, zij hebben de mijne nooit begrepen. Dat heb ik allemaal achter ons gelaten en nu moeten we verder. Ik heb me deze OPOFFERING getroost en dat is mijn cadeau aan mijn zus. Maar ik moet jou en Felicia beschermen tegen de rest van de familie. Je hebt er geen flauw idee van wat ze met je kunnen doen als je niet sterk bent. Daarom moet je sterk worden, belangrijk. Ze zouden je alleen maar willen veranderen. En je moet kiezen: hun leven of het mijne.'

Ik was de erfgenaam van haar wereldbeeld dat gebaseerd was op conflicten in plaats van op oplossingen, waarin alles zwart of wit was en waarin je vóór of tegen haar was. En tegen Britt zijn betekende ouderloos worden, opnieuw. Dat kon ik niet opbrengen. Misschien was ik zwak, ziek; ik kon het niet opbrengen.

Felicia kon het wel opbrengen. Zij was haar eigen moeder en zij was een vrouw vol daadkracht en zij leefde voor ons beiden en zij bediende zichzelf en gaf mij altijd de helft van haar portie, die ik niet eens op kon.

Tegen mijn lichaam aangedrukt, op een vroege ochtend waarop we nog niet eens in slaap zijn gevallen omdat we te veel door elkaars aanwezigheid in beslag worden genomen, zeg jij: 'Kun je iets missen wat er nog is?'

'Ja.'

'Ik mis dit moment.'

'Ik ook.'

En je breidt je lichaam over mij uit en je kust mijn wangen en je leert me vrijen zoals niemand anders heeft gedaan. Op dit moment bouw je een kasteel onder mijn bureau en we spelen schipbreukelingetje.

'Als jij de kapitein bent, ben ik jouw gevangene', instrueer je.

'Wat doen kapiteins met hun gevangenen?' vraag ik.

'Je maakt schaamteloos misbruik van hen', zeg je enthousiast en je trekt mij in de stapel kussens onder mijn computer.

'Hoe?'

'Kapiteins trekken gevangenen hun kleren uit.'

Ik trek je je kleren uit.

'En dan?'

'Kapiteins strelen hun gevangenen over hun lichaam.'

Ik streel je borst, je buik, je dijen en je ogen zijn gesloten en ik weet dat je steeds meer moeite met praten zult krijgen.

'En dan?'

'Dat weten kapiteins altijd zelf wel', fluister jij.

Ik weet het zelf en zelfs dingen die ik nooit met iemand anders heb willen doen, wil ik doen met jou. Niets is eng, akelig, vreemd. Alles is kinderlijk, vrolijk, vol ontdekkingen. Ik zit boven op je en het is of ik heel word en ik weet dat het romantisch is, maar ik zeg toch: 'Het is of je heel wordt.'

Je legt je hand op mijn mond en je beweegt onder mij en ik druk mijn handen tegen de jouwe alsof ik me wil afzetten, alsof ik je tegelijkertijd van me af wil duwen en je dichterbij wil trekken. Jij trekt me naar je toe en jouw handen strelen mijn rug steeds steviger en de computer suist boven ons hoofd, het water druppelt in mijn badkuip, een vogel draait zich om in de wind en ik, ik houd van jou. Ik kan dat niet zeggen, ik houd je alleen maar tegen mij aan en mijn lichaam gaat in golven en als ik het durfde, zou ik gillen.

Jij zegt: 'Ik vond het fijn om jouw gevangene te zijn.'

'En ik om schipbreukeling te zijn.'

We gaan voor de computer zitten en jij schrijft op het scherm aan mij: 'Ik vind het leuk om bij jou te zijn.'

Ik schrijf: 'Ik ook.'

Jij schrijft: 'Wat zullen we morgen gaan doen?'

'Spelen.'

'En overmorgen?'

'Weer spelen.'

'En de rest van ons leven?'

'Hetzelfde.'

We kijken elkaar aan en ik ril en ik weet wat we moeten zeggen en dat wil ik niet.

Jij doet je mond open en zegt: 'Zullen we naar het park gaan om te ontbijten?'

We gaan naar buiten en nemen dekens mee en er is nog niemand op. We kijken elkaar aan en er is niets gezegd en alles is gezegd en ik ben heel gelukkig, want ik ben niet eens bang. Angst is de ergste vijand van geluk en ik besluit te geven, los van wat ik terugkrijg. Ik besluit in totaal vertrouwen in jou te leven en nooit vragen meer te stellen.

'Je kijkt serieus', zeg jij.

'Ik denk dat het door het geluk komt.'

'Is dat serieus?'

'Ja, dat had ik niet gedacht, maar dat is wel zo.'

'Ik had het ook niet gedacht. Soms is het moeilijk om te weten wat je ermee aan moet.'

Ik weet niet wat ik met alles aan moet. Geluk is op de een of andere manier ook enorm vermoeiend en als jij er niet bent, ben ik onmogelijk om mee om te gaan. Ik kan me moeilijk concentreren, ik ben schaamteloos blij en lach om bijna alles en ik kan niet goed luisteren naar wat anderen zeggen.

'Wat is er met jou?' vraagt Felicia.

'Ik besta.'

'Maar je hebt altijd al bestaan.'

'Maar niet zodanig dat ik dat wist.'

'Ik wist het', zegt ze.

We zitten bij haar kind, dat klein en compact is en zich voortsleept zoals eenjarigen doen. Dit kind kijkt verwonderd, voortdurend. Ze heet Bea en glimlacht met tandjes die er nauwelijks zijn. Ze zou haar handen zo graag in een elegant gebaar willen uitstrekken, maar haar eerste aanzet daartoe mislukt al en Felicia begint te huilen.

'Waarom huil je?'

'Als ik dat eens wist.'

'Misschien omdat ik gelukkig ben.'

'Dan zou ik immers moeten lachen.'

'Je bent er vast niet aan gewend dat ik niet langer huil. Dat ik hier niet kom om te vragen of jij mijn leven op orde wilt brengen. Dat jij hier niet zit om mij te vragen of ik mijn negatieve checklist weg wil gooien.'

'Wees niet zo overanalytisch.'

'Dat is mijn werk! Jij mist gewoon de Saga in tranen.'

Ze lacht: 'Verrekte schavuit! Je hebt gelijk. Ik herken je niet meer en daarom herken ik mezelf niet meer.'

We zwijgen en Bea zit op mijn schoot en drukt haar handjes tegen mijn borsten die helemaal pijnlijk zijn na te veel vrijen. Pijnlijk, maar zonder melk, zoals die van Felicia.

'Goeie genade', zeg ik. 'Nou ben ik degene die jou advies zit te geven!'

'Leuk, voor de verandering. Wil je mijn huwelijk ook ontrafelen?'

'Meen je dat nou?'

'Nee. Ik wil het niet anders. We zijn geen perfect stel, maar ik geloof niet in perfecte stellen.'

'Wat zijn jullie dan?'

'We zijn beste vrienden.'

'Is dat goed?'

'Dat is heel goed.'

Jij heet Zacharias en jij bent bezig mijn beste vriend te worden. Het is niet altijd zo geweest, maar nu ben je een deel van mijn leven. Ik had niet gedacht dat je iemand zou kunnen vinden die het belangrijkste deel van je leven kon worden, maar ik heb me vergist. Jij bent het belangrijkste deel van mijn leven, en nee, ik ben niet van plan te zeggen dat dat levensgevaarlijk is, want ik kan het niet opbrengen bang te worden. Ik ben ook niet van plan te zeggen dat het voorbij gaat, want het gaat niet voorbij. 's Avonds kom ik bij jou thuis met tassen vol voedsel en het moet de langste zomervakantie van mijn leven zijn, want er komt als het ware geen einde aan. Ik bel bij je aan en zoals altijd bonkt mijn hart, omdat ik niet anders kan doen dan jouw trappen oprennen. Ik kan niet zo lang wachten dat ik nog ergens in een rustig tempo naartoe loop. Ik ren, fiets, of vrij met jou. Jij doet de deur open en wanneer je me omhelst, schraapt jouw stoppelbaard langs mijn wang en terwijl je onder het dekbed van mij een pakketje maakt, blijft de tas met eten in de hal staan. Als een bal lig ik onder jouw handen en je vouwt mij in mijn volle lengte uit en je kijkt naar mij, jouw handen kijken naar mij en je lijkt dronken. Altijd dronken.

'Ben ik net zo mooi als ik in jouw ogen lijk?' vraag ik.

'Ja.'

'Maakt dat je gelukkig?'

'Ja.'

'Verbaasd?'

'Ja.'

'Ben je bang dat dat zal verdwijnen?'

'Nee.'

'Ben je bang voor mij?'

'Nee.'

'Ben je zuinig op mij?'

'Ja.'

Ik ben voor jou helemaal naakt en je legt me op mijn zij en gaat zelf achter me liggen.

'Verroer je niet.'

Ik verroer me niet terwijl jij mij beroert, en ik ben ontroerd en vervoerd en ik weet niet waarom, maar de tranen beginnen te stromen en ik ben blij dat ik lang haar heb en dat dat als een gordijn over mijn gezicht ligt zodat jij het niet ziet. Maar je streelt mijn wang en voelt de tranen en je glimlacht tegen mijn schouder en vraagt niets.

Ik zeg: 'Het komt omdat ik zo ontroerd ben.'

Jij lacht.

'Dat heeft bij mij nog nooit iemand gedaan. Huilen van blijdschap.'

Ik heb nog nooit eerder gehuild van blijdschap. Het is niet de laatste keer. Ik haal onze maaltijd uit de tas en spreid alles uit op de vloer en kijk ernaar en ik huil opnieuw en daarna moet ik lachen en jij beweert dat ik een rare ben en dat je daar blij om bent. Ik ben ook blij. Voor het eerst in mijn leven ben ik blij met wat ik ooit de waanzin noemde. Dat is ook mijn kracht: die waanzin en het verdriet, die mij hebben gemaakt tot wat ik ben. Misschien was zonder die kracht blijdschap onmogelijk? Misschien waren al die jaren nooit nodig geweest, maar ze waren er nu eenmaal en daar is niets aan te doen, aan te verdringen, aan te vervloeken. Ze zijn er, zoals een arm er is, en als ik het verdriet uit mezelf weghaal, word ik invalide en ik wil heel en niet gespleten zijn. Ik besta en ik wil je alle onderdelen geven en daarom zal ik Britt vergiffenis schenken. Omdat dat de enige mogelijkheid is.

Ik weet niet of dat onbegrijpelijk is, alleen dat het zo is.

E Esoterisk

ESOTERISCH *uitsluitend bestemd voor ingewijden, moeilijk te begrijpen*

Ik loop naast jou en de zomervakantie zet zich voort in een late herfst en we kennen elkaar al duizend jaar, en jij hebt je hand rond mijn hart gelegd om iedere slag, iedere stoot op te vangen. Jij hebt je vingers rond mijn borsten gewikkeld en ik heb over mijn hele lichaam littekens van de nagels die je niet hebt. Mijn haar ligt in rode slierten rond mijn gezicht dat gloeit. Jij legt je handen tegen mijn wangen, dat doe je steeds opnieuw, totdat ze daar vastgegroeid zitten en ik houd van jou, dat doe ik nu al lange tijd. Op een avond, of misschien na anderhalve zomervakantie, zeg ik: 'Denk jij dat hij van haar houdt?'

Ik doel op twee van onze, tegenwoordig gemeenschappelijke vrienden die een verhouding hebben die mij de rillingen geeft. Het komt erop neer dat zij huilt, terwijl hij een gelukkige, zij het gehavende, schijn ophoudt. Ik begrijp er niets van en ik probeer haar advies te geven, maar dat kan ik niet. Ik zou tegen haar kunnen zeggen, zeg altijd tegen haar: 'Waarom kunnen jullie niet gewoon bij elkaar zijn?'

'Zo simpel is dat niet', antwoordt mijn vriendin.

'Waarom niet?'

'Omdat het zo moeizaam is. Omdat we altijd vastlopen. Alles botst en alles gaat verkeerd en als hij lacht, dan huil ik en omgekeerd.'

'Kunnen mensen niet alleen maar blij zijn?'

'Maar hij kwetst me keer op keer. En hij zegt dat hij zich helemaal blootgeeft, maar eigenlijk heeft hij geen inhoud. Het is alsof hij een leasecontract heeft om van mij te houden, alsof de liefde iets is wat je gebruikt tot het contract afloopt.'

'Maar als jullie nou eens probeerden een tijdje te zwijgen?' probeer ik.

'Dan vraag ik meteen wat eraan scheelt en hoe dat komt. Daarna beginnen we weer van voren af aan en ga ik weer een potje huilen.'

'Maar waarom doen Zacharias en ik dan niet zo?'

'Omdat jullie schunnig gelukkig zijn.'

Wij zijn schunnig gelukkig en dat is precies wat Britt zei over mijn vader en moeder toen ze nog leefden. We waren daar met z'n allen op bezoek, met het hele gezin, en we leefden samen in een web dat was gesponnen van liefde. Britt nam me mee naar haar keuken, die later tien jaar lang mijn keuken zou worden, en zes maanden en drie dagen voordat mijn ouders in zee verdwenen zette ze mij op het aanrecht. Ze vroeg: 'Wat vind je van je ouders?'

Ik begreep er niets van en ik glimlachte en ik draaide me onzeker naar de koekjestrommel die op de schoorsteenmantel stond. Ze pakte de trommel, gaf me een koekje en zei: 'Weet je wat ik vind?'

Met het koekje dat ik maar niet wegkreeg in mijn te kleine mond kon ik alleen maar mijn hoofd schudden.

'Ik vind dat ze schunnig gelukkig zijn.'

Ik knikte en schudde mijn hoofd en wist niet of dat iets was waarvoor ik me moest schamen; ik wist het niet. De ogen van Britt waren net die van een gekke adelaar en ik wist niet of ze kon vliegen en of ik mee mocht, of dat ze op een stok vastzat en eigenlijk alleen maar opgezet was.

'Schunnig gelukkig', herhaalde ze, terwijl Felicia de keuken binnen kwam rennen om mij te halen.

'We gaan weg, we gaan naar huis.'

En het was een groot geluk om naar huis te mogen gaan, weg van Britts ogen die mij betoverden. Weer naar huis te mogen gaan en op mama's schoot te mogen zitten en ze liet me in de auto slapen en soms mocht ik daarin blijven slapen met de garagedeur open, omdat ze wist dat ik hield van slapen in het donker om vervolgens weer het licht in te kunnen rennen. Ik rende, op tien tenen rende ik zo het huis binnen, door alle kamers, over de drempels naar de keuken, waar mama zat met haar boeken van de universiteit waar ik niets van begreep als ik erin las. En op een dag was de keuken leeg, de meubels verhuisd, alles verkocht of opgeslagen voor het toekomstige gebruik door Felicia en mij.

Slapen in het donker en dan zo het licht in rennen. Ik rende en rende en het duurde tien jaar, en de opgezette ogen van Britt leven nog dag en nacht in mij. Uit het donker, in het licht, dat ik niet langer kon zien. Geen mama daar, geen papa. Ik weet niet of dat verdrietig is; ik moest daar gewoon mee leven. Dat Britt er was, buiten de deur van de garage, en ons in de kraag pakte voordat iemand anders ook maar met zijn ogen kon knipperen, was gewoon een van de mysteries van het leven. Misschien zegt dat iets over de mens. Dat als je goed wilt doen, je sneller moet reageren. De familie verloor haar controle over ons en de bezoekjes van opa en oma werden steeds zeldzamer. Ergens vond ik dat Britt er goed aan deed.

Opa en oma waren een herinnering aan het schunnige geluk en ze veroorzaakten chaos en dromen in mij. Nadat ze waren weggegaan bleef ik maar rondrennen en gillen, totdat Britt me opsloot en me de ene oorvijg na de andere gaf tot ik rustig werd. Kun je iemand rustig slaan? Zij sloeg mij rustig – misschien passief. Ik weet het niet.

Ik weet het nog steeds niet en ik sta te trillen voor mijn aanrecht waaraan ik al acht jaar de afwas doe, sinds Felicia mij een nieuw leven aanbood, met bijbehorende kamer, deur, muren, levenskeuzes, koers, doelstelling. Ze verzocht me het leven te kiezen en ik koos de vlucht en ik schreef, herschreef het leven, schreef over het leven en op dat punt bevind ik me nog steeds. Ik ben iemand die leeft om de wereld waarvoor ik zo bang ben te beschrijven, om die wereld steeds opnieuw te duiden, om die begrijpelijk te maken. Ik ben gewoon Saga, die regel na regel aflegt om Britts waanzin op afstand te houden en daarmee die van mezelf.

De keren dat ik heb geprobeerd deel uit te maken van een carrière, een beroep, werd ik altijd opgewonden, nerveus en onzeker, en nooit ben ik de ster geworden die ik me had voorgesteld als kind, toen ik op de veranda toneelspeelde. Iedere keer dat ik tot nu toe in een conflict ben terechtgekomen, dat iemand vond dat ik mijn werk niet goed had gedaan, begon ik vanbinnen te trillen en dan ging ik naar huis om te huilen en keerde ik nooit weer terug. Ik weet het, dat is geen volwassen gedrag en weten dat ik volwassen ben en toch bang om een vaste baan te krijgen, waarbij ik niet over woorden kan beschikken, is niet echt iets waar ik trots op ben. Ik zou graag onderdeel willen zijn van een groep, een doelstelling, een team, een club, maar ik heb het nooit gedurfd. Alleen is zwak, alleen is sterk? Ik heb me nooit druk gemaakt over het verschil, omdat alleen zijn de enige uitweg was. In een groep raak ik in verwarring; of ik neem de leiding, of ik cijfer mezelf helemaal weg en trek me achterwaarts terug.

'Het gaat niet', zeg ik over nieuwe situaties waarin ik terechtkom.

'Waarom niet?'

'Ik durf niet.'

'Waarom niet?'

'Ik ben bang om te vallen. Om niet goed genoeg te zijn. Om opgesloten te raken. Ik wil niet opnieuw door de vloer zakken. Ik durf niet en ik denk dat het het beste is dat ik op mezelf blijf en een losvaste verbintenis met groepen aanga totdat het me lukt om te blijven.'

Ik durf het nog steeds niet, maar ik ben al een heel eind, verder dan ik voor mogelijk had gehouden; ik heb geleerd om gelukkig te zijn, te lachen, te vrijen. En dat is geen geringe taak: dat is een levenstaak en die heb ik op me genomen en dat is iets wat me gelukt is. Dat maakt me sterk, mooi en onneembaar en ik weet dat ik daardoor alles, alles vergeef. Zelfs mezelf; ik heb mezelf en alle zinloze jaren die nu zin blijken te hebben bijna vergeven.

Ik ben terug bij af en sta bij het aanrecht en jij zit stiekem te roken op mijn oude eettafel terwijl de luxaflex voor de ramen naar beneden is, want 'dan is het spannender'. Ik vraag het opnieuw, of heb ik het nooit gezegd, alleen gedacht?

'Denk je dat hij van haar houdt?'

Ik bedoel nog steeds onze vrienden, maar jij hoort mijn vraag niet en ik herhaal hem en het water loopt tussen mijn vingers door en jij zegt iets en ik moet de kraan dichtdraaien om jou te kunnen verstaan.

'Ik hou ook van jou. Ik wil met je samenwonen.'

En ik schud mijn hoofd en denk: nee. Nu heb je me verkeerd begrepen en denk je dat ik van je hou, wat ik ook doe, maar niet wil zeggen. En nu denk je dat je moet antwoorden en mij iets moet beloven en dat wil ik niet.

Ik zeg: 'Nee, dat heb ik niet gezegd! Ik had het over onze vrienden.'

Ik bloos en ik stamp met mijn voeten en laat het afwasschuim langs mijn armen omhoog komen en ik ben geïrriteerd en boos.

'Nee!'

'Jawel. Ik heb wel gehoord wat je zei en ik weet ook wat ik heb geantwoord. Ik zei: ik hou ook van jou.'

'Waarom zei je dat? Moet dat?'

'Dat zei ik omdat ik niet denk dat onze vrienden van elkaar houden. Ze verscheuren elkaar om onbenulligheden en ze zitten steeds te huilen of ze houden zich veel te veel in. Dat zou mijn antwoord zijn geweest, maar ik vond het geen goed antwoord. Daarom antwoordde ik: ik hou ook van jou.'

'Je denkt dat ik van je hou, Zacharias?'

'Ja, dat denk ik.'

Ik kan geen antwoord geven en mijn blik is helemaal wazig.

'Waarom hou je van mij?'

'Omdat je mijn Saga bent. Je bent de mooiste saga die ik ooit heb gehoord, de mooiste liefdessaga waardoor ik ooit ben getroffen. Je verbaast me en je bent ongewoon en uitzonderlijk moedig en je wilt leven.'

'Dat wil jij.'

'Met jou. Met jou kan ik leven.'

'Maar waarom?'

'Je kunt me niet méér vragen. Ik hou van jou, omdat jij al jouw persoonlijkheden durft te zijn. Omdat je mij durft te zien, omdat je vragen stelt, omdat je mij om dingen vraagt, omdat je de oppervlakkige kant die ik presenteer verwerpt. En ik hou van je, omdat ik met jou kan lachen.'

'Je kunt met mij lachen?'

'Ik heb nog nooit zoveel met iemand gelachen, Saga. Als met jou, met jou.'

Ik ga op mijn andere been staan en ik leun tegen jou aan en ik weet niet of ik nu een sleutel zal krijgen waarop THUIS staat, ik weet het niet. Het kan toch niet zo simpel zijn dat ik de sleutel die ik ooit om mijn hals had hangen terugvind? Dat ik de stad in ga en wanneer mijn voeten zeer beginnen te doen, de sleutel tussen mijn vingers kan pakken om te lezen. Er staat THUIS op en ik kan hem pakken en de deur openen en binnen staat niet mijn moeder, want zij is nu dood, maar in plaats daarvan liggen daar mijn eigen boeken en daar staat Saga in en als ik me omdraai, zal mijn vader daar niet staan, want hij is dood, maar jij zult daar staan.

'Zacharias, Zacharias, Zacharias.'

'Ja.'

'Het moet zo zijn.'

'Ja.'

'Dat het zo is.'

'Ja.'

'Dat ik van je hou.'

'Ja.'

'Zoals niemand anders. Zoals nooit tevoren. Zoals nooit weer.'

Jij knikt en je vraagt me mijn schoenen aan te trekken en we fietsen door de stad en jij roept: 'Ik ga een huis voor je bouwen!'

En ik gil, in het wilde weg, omdat ik dat moet, en ik laat de trappers los en het is alsof ik recht door het water schiet en er zijn dolfijnen aan mijn zijde en ze springen op en ik spring op, want de weg zit vol kuilen. Buiten adem stoppen we en ik keer me naar jou toe en zeg, ik ben het die zegt: 'Ik heb geld, een heleboel geld.'

Jij lacht.

'Ik meen het.'

'Ik ook.'

'Je kunt een huis voor ons bouwen.'

Je moet weer lachen.

'Zacharias, ik meen het bijna. Je kunt een huis voor ons tekenen met muren als in een tempel, waar we tegenaan kunnen leunen, pilaren die niet omvallen. In dat huis zullen we wonen en voor als het onweert heb jij een bliksemafleider op het dak gezet die oplicht en op zolder zal ik schrijven en in de kelder zul je nog meer huizen als dat van ons tekenen.'

Je kijkt me aan en het ruikt groen en we zitten in onze tweede zomervakantie en ik ken je bijna goed.

'Nou?'

'Ik denk.'

'Ik denk ook.'

'Ik denk het meest.'

'Ik denk tien keer zoveel als jij kunt zeggen!'

Jij zit mij over een veld achterna en ik struikel en verberg mijn gezicht in het gras en jij gaat naast me liggen. Ik vraag: 'Hoe heet dit gebied?'

'Het land der Saga's.'

'Mooi. Hier bouwen we het huis. We liggen nu op de drempel.'

'Dan moeten we dat maar doen.'

Maar later zeg je: 'Schat. Het huis klinkt mooi, maar ik

geloof niet dat ik het voor elkaar zou krijgen. Niet nu. Maar we kunnen onze flats wel verruilen voor een gemeenschappelijke, waarin we al onze spullen bij elkaar zetten. Wat denk je daarvan?'

Voor het eerst zal ik verhuizen naar iets toe, niet van iets weg. Je vraagt mij mijn koffers te pakken en ik pak ze, ik loop naast je en ze zijn licht, ook al zitten ze vol zware herinneringen. We zullen in een flat wonen die we de onze kunnen noemen en we krijgen twee sleutels en ik schrijf op allebei THUIS en jij lacht en ik bloos. Ik sta in de keuken en alles is nieuw, het ruikt naar verf en jij hebt geen trui aan en je schuift dozen heen en weer over de vloer, het ziet er bijna uit alsof je schaakt.

'Zacharias? Je hebt toch nog nooit iemand van mijn familie ontmoet?'

'Nee. Jawel, Felicia. Maar zij is misschien meer dan familie.'

'Dat is ze. Ik wil dat we mijn grootouders van moeders kant gaan opzoeken. Opa zei een keer dat hij schoon genoeg had van het verdriet, dat dat gauw voorbij moest gaan. En dat is nu zo. Ik wil dat ze dat zien.'

'Is het verdriet nu voorbij?'

'Ja. Ik heb vergeven. Maar ik geloof niet dat zij dat gedaan hebben. Britt ook niet. Daar wil ik wat aan gaan doen.'

Mijn grootouders kijken verbaasd wanneer ze de deur opendoen van hun grote appartement dat gevuld is met erfstukken en foto's van ons als kind en van papa en mama die er jong uitzien, net zo jong als Zacharias en ik. Opa vraagt of we willen gaan zitten en oma heeft koekjes gekocht die keihard zijn, maar die je week kunt maken met haar zelfgemaakte zwartebessensap. We zitten in hun hoekkamer, waar het enige wat je hoort hun hoekklok is, die twee keer per uur slaat. Dat en het verkeer buiten. De kamer heeft uitzicht op een park, een fitnesscentrum en een kledingwinkeltje. In deze hoek zat ik vaak als klein kind, maar het fitnesscentrum was er destijds nog niet.

'Onzin, dat daar', zegt opa, wijzend naar het fitnesscentrum.

'Ga jij naar een fitnesscentrum?' vraagt hij, terwijl hij zich tot mij wendt.

'Ja, dat doe ik inderdaad. Ik kweek spieren tegen de kou.'

'Je hebt een vooruitziende blik.'

'Ja, ik denk aan de slechtere tijden die zullen komen.'

'Of de betere. Spieren kunnen ook nodig zijn om een geluk als dat van jullie te dragen.'

Ik weet niet of hij een grapje maakt of niet, of hij Zacharias mag of niet. Ik weet alleen dat hij een zwaarmoedigheid over zich heeft, een schuldgevoel, dat hij het moeilijk vindt zichzelf te vergeven voor wat er is gebeurd, dat hij mij en Felicia liet verdwijnen, dat hij er niet op tijd wat van gezegd heeft. Hij is van mening dat hij door het feit dat hij niet heeft gehandeld, zo heeft gefaald dat hij nooit meer iemand een advies kan geven. Hij zei, hij heeft tegen mij gezegd: 'We moeten het nu vergeten. We moeten de tijd die we nog hebben goed gebruiken. *Er moet nu een eind aan komen.*'

Maar hij begreep zijn eigen woorden niet en hij begrijpt ze nog steeds niet, want hij heeft niets vergeven.

'We zijn gaan samenwonen in een nieuwe flat. Wat vinden jullie daarvan?' vraag ik.

'Je weet dat ik je geen adviezen kan geven, Saga, dus wat moet ik zeggen?'

Oma kucht een beetje en schenkt nog meer sap in. De klok tikt en mijn opa ziet er enorm beheerst uit en achter zijn blauwe hoekfauteuil hangt een foto van mijn ouders. Daaronder hangt een foto van Britt als jong meisje en daarop ziet ze er bijna mooi uit. En vrolijk, Britt ziet er vrolijk uit.

'Opa, hoe was Britt toen ze jong was?'

'Ze was... ze was fijnbesnaard. Een beetje gemakkelijk op haar teentjes getrapt, ontwijkend, niet zo vrolijk als je moeder natuurlijk. Maar Britt schreef veel, net als jij eigenlijk, maar ze werd nooit aangemoedigd. Ook niet door mij, geloof ik. En ook niet door Rolf, van wie ze een kind verwachtte, hoewel ze noch het kind noch Rolf wilde.'

'Misschien is het daarom gegaan zoals het is gegaan. Dat ze zo verbitterd raakte', zeg ik.

Ik denk dat ik probeer rust te brengen in de jaren die zijn verstreken. Ik denk dat ik dat doe omdat ik schoon genoeg heb van alle martelaren en gewetenswroeging. Opa haalt zijn schouders op.

'Je oma schilderde en zij is geen kunstenares geworden, maar daarom is ze nog niet verbitterd geraakt.'

'Jawel, maar ik had jou altijd. Net zoals Saga's moeder een fantastische man had', zegt oma.

'En Britt?'

'Toen ze zwanger werd, werd ze uitgehuwelijkt en ze gaf al haar plannen op en sindsdien is ze nooit meer de oude geworden. Ze moet het ons hebben verweten, dat we haar niet méér hebben gegeven. Ik heb het gevoel dat dat mijn fout was', zegt oma.

Het wordt stil. De klok slaat weer. Jij zit uit te kijken over straat alsof je niet te veel wilt storen.

'Opa?'

Ik wend me tot hem en ik weet niet hoe ik de juiste woorden moet vinden.

'Ja.'

'Weet je nog wat je zei toen we elkaar na al die jaren weer zagen?'

'Nee.'

'Je zei dat je schoon genoeg had van het verdriet. Schoon genoeg. Je zei dat alles nu ging beginnen en dat het verdriet de basis was voor het nieuwe geluk. Dat dat de voorwaarde was.'

'Wijze woorden. Heb ik dat gezegd?'

'Het heeft me acht jaar gekost om ze te begrijpen. Ik wil dat jullie weten dat ik bij Britt wílde blijven, dat ik op dat moment dacht dat dat het juiste was. Dat mijn ontmoetingen met jullie mij alleen maar van streek maakten. Dat dacht ik en ik heb misschien juist gehandeld. Ik kon het niet opbrengen voor de derde keer opnieuw te beginnen.'

Hij knikt en mijn oma heeft tranen in haar ogen.

'Jullie waren hier. Jullie waren de hele tijd hier en ik heb genoeg van de gewetenswroeging van jullie en de rest van de familie. Dat vreet aan me en ik leef nu en ik wil dat we een nieuw huis voor onszelf bouwen en ik heb al een architect gevonden en ik ben niet van plan te vergeten, maar te vergeven.'

Oma staat op en slaat haar armen om mij heen, maar opa zit met gesloten ogen en ik weet niet of hij boos is of opgelucht of gekwetst. Hij trommelt alleen met zijn vingers op de rand van zijn fauteuil en ik voel hoe mijn tranen opwellen en ik denk: nee. Het mag niet opnieuw beginnen. Niet weer.

Opa zwijgt nog steeds, de tijd glijdt voorbij en jij knijpt in mijn hand en ik weet opeens niet wat jij vindt, wie jij bent. Dan zegt opa tegen jou: 'Jij bent architect, zei je?'

Je knikt.

'Wanneer je dat huis tekent, kun je misschien een extra

logeerkamer bouwen. Voor Britt. Ook al zal die kamer leeg blijven.'

Ik sta op en ga bij hem op schoot zitten en huil tegen zijn flanellen overhemd en niets is over, niets is voorbij, maar het is alsof de tijd eindelijk begint te verstrijken en misschien, misschien kunnen we van hieruit verdergaan.

We gaan weg en jij kijkt vreemd en ik vraag niets. Wanneer we thuis in onze flat komen en tussen de verhuisdozen dingen zitten te sorteren, zeg je langzaam, als was het tegen niemand in het bijzonder: 'Ik ben niet gewend aan zoveel liefde.'

Zacharias

F Finna

VINDEN *aantreffen; ontdekken; van mening zijn*

Ik had niet op jou gerekend. Dat doe ik nog steeds niet. Op de een of andere manier ben je veel te onwaarschijnlijk om op te rekenen. Je bent zo mijn leven binnengestapt, hebt het opnieuw ingericht en zonder dat je het eigenlijk vroeg of dat het je gevraagd werd, bood ik je alles wat ik heb. Ik bied je alles.

Wat heb ik te bieden, wie ben ik? De naam Zacharias kreeg ik van mijn ouders, mijn leeftijd van achtentwintig jaar van God. Ik weet niet of God echt leefde in mijn familie. Ik weet dat mijn moeder dat wel deed. Tweeëntwintig jaar, jaar in jaar uit, heb ik in hetzelfde huis gewoond voordat ik me daarvan los wist te maken. Waarom zeg ik dat? Natuurlijk had ik eerder bij hen weg kunnen gaan. Maar het was gemakkelijk, gemakkelijk om daar te wonen en de jaren verstreken en het werd steeds moeilijker om te verhuizen en ik had een haatliefdeverhouding met mijn moeder, en vandaag de dag weet ik nog steeds niet waarom. Weet het echt niet. Er was ook een man in het huis, dat gelegen was in een van de niet zo trendy buitenwijken van de stad. Die man was mijn vader en hij was degene die voor mij een betrouwbaar, vaderlijk voorbeeld en papafiguur en mannelijk rolmodel moest zijn waar ik tegen op kon kijken, en ik weet niet of hij me dat allemaal heeft geschonken: ik denk het wel. Mijn vader was, mijn vader is een heel zachte man die mijn moeder in ons huis lekker tekeer laat gaan met schoonmaakspullen. Hij bemoeit zich er niet mee, hij vermoeit zich er niet mee en als hij in de weg zit, dan schuift hij op en op deze handige manier heeft hij zijn hele leven, mijn hele leven, conflicten weten te vermijden. Wie hij was voordat ik werd geboren, weet ik niet. Ik heb niet de moeite genomen daarnaar te vragen. Ik neem aan dat ik geen bijzonder groot respect voor hem heb. Misschien is dat tragisch, gezien het feit dat hij een man is en ik ook, maar ik heb het nooit kunnen opbrengen daaraan te denken. Het leven is hier, ik leef nu en wat gebeurd is is gebeurd, en ik woon niet in het huis waarin mama zich overal mee bemoeit en papa zich niet vermoeit. Ik woon daar niet meer. Dus wie zal ik verwijten maken?

Ik ben hun enige zoon, ik mijn enige broer. Misschien heeft dat mij egocentrisch gemaakt; niet gewend aan concurrentie ben ik eraan gewend dat alles om mijzelf draait. In het centrum, in het midden, daar sta ik en daar wil ik mij ook bevinden en ik ben sterk en ik zal overleven en ik ben niet van plan toe te staan dat iemand mijn centrum sloopt, dat iemand binnendringt en mijn kracht kapotmaakt.

Waar ben ik bang voor? Zeg het maar. Ik ben een man en de persoon die mij 's ochtends in de spiegel aankijkt, is lang en heeft sterke armen en enorm grote bruine ogen. Die man zie ik. In de ooghoeken zie ik tekenen van onrust en wanneer iemand mij van achteren al te snel benadert, word ik onrustig. Soms heb ik het gevoel dat iemand mij besluipt en dat maakt me bang, mijn hart bonst. Bonst, bonst, bonst. Ik heb me niet opgewerkt. Stilletjes en systematisch heb ik de carrière gemaakt die voor mijn vader bestemd was, maar die hij nooit heeft weten te maken. Mijn vader is ingenieur, min of meer, en mijn moeder wilde zo graag dat hij architect werd. In zijn plaats werd ik dat en daarom houdt mijn moeder van mij en ik weet niet of dat heel gelukkig of heel verdrietig is. Ik weet dat ik deed wat ik moest doen en dat ik waarschijnlijk niet anders had kunnen handelen.

En ik? Ik weet dat jij zou willen dat ik dit op een andere manier vertelde. Jij zou willen dat ik iedere beweging in mijn leven beschreef, iedere handeling die zou kunnen verklaren wat er vervolgens gebeurde, dat ik het vertrouwen verloor, dat ik de dood tegemoet trad met een koelbloedigheid die ik niet achter mezelf had gezocht. Maar ik geloof niet dat ik dat kan. Ik heb niet jouw vermogen tot analyseren, in stukjes hakken, begrijpen, vergeven en opnieuw verklaren. Ik weet niet of ik dat kan. Om dingen te verklaren probeer ik gebeurtenis na gebeurtenis op een rationele manier te bekijken en wanneer ik al te verdrietig of verward raak, houd ik gewoon op met denken en ga ik liever buiten hardlopen. Of ik ga aan het werk, avond in avond uit, zodat mijn hersenen helemaal leeg worden en wanneer ik daarna moet slapen en opnieuw probeer het probleem van een andere kant te bekijken, zeggen mijn hersenen moe: welk probleem? Ik weet het niet meer. Laat me slapen!

Dat klinkt misschien te gemakkelijk, maar het werkt goed en zo heb ik mijn hele leven, tot aan de dag van vandaag, al geleefd en ik ben erin geslaagd een sterk mens te worden. Misschien zelfs wel een goed mens.

Ik ben heel sterk. Mijn grote gave is mijn lach en mijn humor verspreidt zich als een lopend vuurtje, waar ik ook ga. Door de lach heb ik een uitweg uit mijn egocentrisme gevonden. Ik heb mijn ouders aan het lachen gemaakt, mijn omgeving, mijn vrienden, mijn collega's, mijn toevallige kennissen, mijn vrouwen. Vrouwen. Ik ben me ervan bewust dat ik de vraag wie ik ben uit de weg ga door te proberen mijzelf te beschrijven in relatie tot anderen. Maar misschien is dat hetzelfde? Wie ben ik zonder jou? Wie ben ik zonder anderen? Hoe zou ik zijn als jullie er niet de hele tijd waren om mij te bevestigen, tegen mij te zeggen dat uitgerekend ik degene ben die daar staat. Doordat jij 's nachts mijn borst beroert, je naar mij keert en 'Zacharias' fluistert, besta ik. Ik ben iemand. Door van jou te houden, besta ik en ik had er nooit op gerekend dat te mogen voelen. Ik heb zwakte altijd verafschuwd en te verliefde mensen worden zwak, weerloze mensen worden zwak, kwetsbare en geplaagde mensen worden zwak. Ik was sterk. Maar jij, jij bent zo mijn leven binnengestapt en je hebt nooit om toestemming gevraagd en daar ben ik je eeuwig dankbaar voor. Vóór jou was er niemand en niemand, en daarvoor waren er duizenden en nog eens duizenden vrouwen die ik tegenwoordig nauwelijks zou kunnen beschrijven. Niet omdat ik geen respect voor hen voel, eerder omdat ik niet trots op mezelf ben.

Om de een of andere reden (er is altijd een reden) heb ik nooit gewild dat een vrouw mij te na kwam. Het klinkt misschien gek dat je een dergelijke keuze kunt maken, maar dat is precies wat ik deed. Soms was het bewust, soms was het onbewust, maar het maalde, maalde vanbinnen en ik herhaalde keer op keer hetzelfde. Geen enkele verhouding duurde langer dan twee, drie maanden. Dat is niet te lang en niet te kort. Het is op de een of andere manier helemaal niets. Precies op het moment dat onze respectievelijke rollen ingesleten begonnen te raken, wanneer je niet alles meer kon weglachen, wanneer zij begon te vragen wie ik was, begon te vragen of ze mijn meubels mocht verzetten – dan vluchtte ik. Er zijn veel manieren om te vluchten. Je kunt lang en uitgebreid praten over alle reizen die je in de toekomst met je kameraden zult gaan maken. Of je kunt zo hard werken dat je uitgeput raakt en je lichaam niet meer tot liefde in staat is. Of je kunt langzamerhand gaan zwijgen terwijl zij huilt, zodat zij ten slotte jou verlaat, uit pure zelfverachting over het feit dat ze zich zo heeft blootgegeven. En ik heb niks gedaan; het enige wat ik heb gedaan is weigeren deelgenoot te zijn, ik heb alleen met lichte weerzin zitten toekijken en gevonden dat het – er is een verschrikkelijk woord voor: pathetisch? – was. Ik neem aan dat ik vertrouwen miste, zelfvertrouwen en vertrouwen in een ander.

Ooit, heel lang geleden was ik een mollig kind, dat er niet uitzag alsof hij iemands prins zou worden. Dat wist ik niet, maar mijn moeder maakte dat kenbaar. Misschien bewees ze me een dienst door me voortdurend te herinneren aan het feit dat ik bezig was uit mijn voegen te barsten, net zoals mijn vader langgeleden had gedaan. Door middel van kleine maatregelen hergaf ze me mijn status van prins, als een cadeautje op een verjaardag, en ze zorgde ervoor dat ik de perfecte man werd die ze voor zichzelf had gewenst. Toen haar man niet goed genoeg was, moest ze haar zoon maar als minnaar nemen. Dat klinkt pervers en het geeft een onaangenaam gevoel daaraan te denken, en misschien was het in wezen niet zo. Het was waarschijnlijk eerder zo dat ze het beste met me voorhad. Ja, zo moet het wel geweest zijn. Anders zou ik toch niet zo lang zijn gebleven, anders zou ik toch zeker geen architect zijn geworden, anders zou ik toch niet zo sterk zijn geworden?

Maar waarom kan ik haar niet verdragen? Daar denk ik aan,

zeker denk ik daaraan, maar mijn hersenen worden zo moe en nu wil ik eigenlijk naar bed; ik kan mijn benen niet stilhouden omdat ik zin heb om te fietsen en ik kan nu niet meer denken: wat dan? Waar moest ik aan denken? Ik weet het niet meer. Ik ben zo moe, zo moe, zo moe.

Aan de andere kant ben ik ook niet bijzonder op mijn vader gesteld, hij heeft geen sporen in mij nagelaten, mama heeft als een zonsverduistering in de weg gestaan en wanneer ik bij hen op bezoek ga, heb ik meestal een zonnebril op zodat ik niets hoef te zien en ook niet verblind raak.

Ik heb een burcht opgetrokken rond mijn ziel en het is een mooie burcht, waar ik trots op ben. Het vet dat ik ooit op mijn schouders heb getorst, bestaat tegenwoordig alleen uit pezen en bloed en wanneer ik fiets, voel ik de kracht in mijn benen en dat maakt dat ik me onneembaar voel. Jullie kunnen me nu nooit van jullie leven innemen. Jaren van zweet en inspanning hebben degene geschapen die ik ben en tegenwoordig ben ik een mooie man, jawel, ik denk dat ik mooi ben en dat lees ik ook in jouw ogen.

Op mijn lach kan ik vertrouwen. Jullie hebben met mij gelachen, om mij gelachen – het onderscheid is minimaal. Ik heb gevoel voor humor en ik heb deze liefde voor jou. Dat is het grootste wat ik heb. Ik had nooit gedacht dat ik jou zou kunnen vinden, dat ik je zoveel zou kunnen geven. Wat doe jij met mij, Saga?

Ik weet niet wat er is gebeurd, alleen dat het gebeurde. Toen we elkaar ontmoetten. Ik had je al gezien. De lijn onder je jurk, jouw ogen die heen en weer leken te pendelen tussen vrolijkheid en een extatisch verdriet. Allebei met even grote bezetenheid en enthousiasme. Ik had je al gezien. Het is geen grote stad en ik had je glimlach al op verschillende plaatsen gezien en ik had je zien staan naast Felicia met een uitdrukking die zei: 'Neem me, neem me niet. Beroer me, beroer me niet. Kom, kom niet. Verroer je, verroer je niet.'

Ik was niet de enige die jou zag, jouw verwarring zag, jouw schoonheid, jouw enorme aanwezigheid en je verschrikkelijke afwezigheid. Ik trilde toen ik je zag en hoewel ik al mijn energie, al mijn kracht probeerde te mobiliseren om naar je toe te gaan en met je te praten, was het zinloos. Onzeker als een dik jongetje stond ik naar je te kijken met ogen vervuld van iets wat waarschijnlijk op onbeantwoorde liefde leek. Ook wilde ik schreeuwen, maar ik wist niet wat. Er kwamen geen woorden en ik was als een omhulsel dat, uit angst vanbinnen hol te zijn, weigerde kapot te gaan.

Inderdaad, dat ben ik. Ik heb nooit van iemand durven houden, waarom weet ik niet; ik vermoed wel een vorm van waarheid, maar durf daar niet mee aan de slag te gaan. Je kunt en moet niet overal in wroeten en ik houd er niet van wanneer mensen in mijn leven beginnen te wroeten, eisen beginnen te stellen, mij vragen of ik hen wil redden zodat ze een gelukkiger leven krijgen. Daar houd ik niet van, kan ik niet tegen.

Ik had je al gezien. De lijn onder je groene jurk. Ik herinner me de avond toen je eindelijk naar voren trad. Wat zeiden we? Wat deden we? Ik geloof dat ik grapjes met je maakte, ik geloof dat jij moest lachen. Ik weet niet meer waarom, behalve dan dat je alles wat ik zei begreep.

Ik weet nog dat ik in mijn keukentje warme chocolademelk sta te maken, dat we midden in de nacht net hebben gezwommen en dat ik fluit en dat ik me niet kan herinneren wanneer ik voor het laatst zo gelukkig ben geweest. De hele tijd komen de gedachten: binnenkort is het voorbij. Dit is er gewoon weer één. Geef het twee, drie maanden de tijd en dan zit ik zwijgend te kijken terwijl er weer een vrouw zit te huilen.

Ik blijf maar roeren in de warme chocolademelk en ik wil niet luisteren en in plaats daarvan denk ik keer op keer: vertrouwen. Zelfvertrouwen. Vertrouwen in jou.

Hoe moet je durven geven zonder zeker te weten dat je iets terugkrijgt? Ooit moet je ten val komen en ik weet niet of ik durf en ik pak de kopjes en het is alsof jouw naam, Saga, al op een ervan staat en ik moet mijn blik aanscherpen om te zien, en er staat niets, helemaal niets. Ik adem en word opeens vreselijk moe en alles wat ik wil is tussen jouw borsten gaan liggen en alleen maar huilen en niemand anders zijn dan Zacharias. En nooit vluchten, nooit meer vluchten.

Ik breng de warme chocolademelk naar mijn slaapkamer en daar lig jij ontkleed in mijn bed en mijn hart bonst en ik weet niet wat ik moet doen, hoe ik zal doen om ervoor te zorgen dat alles goed komt. Hoe kan ik voorkomen dat ik het verwoest? Hoe kan ik zien wie jij bent zonder het te weten? Hoe moet ik durven zonder in te storten? Hoe kan ik een liefde redden die nog niet bestaat?

Ik tril en zoek naar de Zacharias die verleidt, verwoest en vervolgens verloochent, maar hij is allang naar huis gegaan en ik ben alleen over en met hem zal ik het moeten doen, net als jij. God weet waar ik de kracht vandaan haal, misschien komt het omdat jouw ogen er zo verloren, zo verward en toch weifelend uitzien, alsof je wilt zeggen: ik heb je gezien, ik heb jou uit alle anderen gekozen. Het had de man achter de bar kunnen zijn, maar jij was het en we kozen elkaar en het was onze keuze en daar kunnen we niets aan doen, behalve daarmee leven. We bestonden al in elkaar, als een gipsen mal die alleen maar gevuld hoefde te worden.

Ik zeg: ‘Ik ken je niet. Ik weet dat je Saga heet, dat je

zesentwintig jaar bent. Ik weet niet wat je doet, waar je vandaan komt.'

Jouw ogen staren mij aan alsof je gehypnotiseerd bent en je blijft maar knikken en nog nooit eerder heb ik zo'n liefde gevoeld. Goede God, wat doe je met mij?

'Je weet dat ik Zacharias heet, dat ik achtentwintig jaar ben en je weet ook niet wat ik doe.'

Jij zegt niets en je borsten zijn zo dichtbij dat ik ze met mijn lippen zou kunnen aanraken als ik me maar een beetje uitrekte. Ik bijt op mijn lip en voel me hulpeloos en jij bent niet het soort vrouw dat ik ken, geen vrouw die ik ooit heb gekend en op dit moment zal alles opnieuw beginnen, als ik durf. Ik zou zo graag niet meer willen hoeven vluchten.

En ik ben degene die durft en daar ben ik mezelf eeuwig dankbaar voor, dat ik degene ben die moedig is, dat Zacharias al die jaren van pogingen tot een perfect leven heeft overleefd. Ik ben het die zegt – waar komen die woorden vandaan: 'Ik wil niet dat alles al voorbij is voordat het überhaupt is begonnen.'

Jij pakt mijn hand en ik huil niet, dat kan ik niet, maar ik ga tussen jouw borsten liggen en het is vreemd, maar voor het eerst van mijn leven ben ik niet degene die voor iemand moet zorgen, die iemand blij moet maken, die iemand aan het lachen moet maken, die iemand trots op mij moet laten zijn, die de dromen van een ander moet verwezenlijken. Ik ben dat niet. Jij bent degene die sterk is en dat is gek, want ik was immers al zo lang van plan voor jou te zorgen. Zo is het niet gegaan, ook al zou ik dat nog een hele tijd blijven denken.

Jij fluistert: 'Niets is voorbij. Niets.'

G Gråt

GEHUIL *(het plengen van) tranen*

Jawel, de wereld ziet er nu heel anders uit. Ik dacht dat dat maar een frase was, dat alles anders wordt, dat de melk verser smaakt, dat het vreemd is alleen al om adem te halen, dat het eten lekkerder smaakt, dat het leven echt zo opvallend kan veranderen. Het leven is natuurlijk niet veranderd; de manier waarop mijn ogen het leven bekijken is veranderd. Inderdaad, alles is anders en bij jou zijn betekent alles wat niet eerlijk is, alles wat niet waar is, alles wat huichelarij is in twijfel trekken. Alles trek jij in twijfel en ik moet je gedachtegang wel volgen en soms ben ik de weg behoorlijk kwijt. Hoe moet ik een uitweg vinden? En ik wil helemaal geen uitweg vinden. Misschien is dat liefde, dit gevoel nooit een uitweg te willen vinden, misschien is dat liefde?

Ik ben sprakeloos bij jouw aanraking. Sprakeloos. Ik wil beginnen te praten, jou aan het lachen maken, zorgen dat jij wilt dat ik me over jou ontferm zodat ik mijn hervonden spieren opnieuw kan aanspannen, zoals ik heb gedaan met alle andere vrouwen – maar het gaat niet. Jij doet daar niet aan mee, je brengt mij tot zwijgen en je duwt mij achterover op bed en je vraagt maar en je vraagt maar en ik geloof dat ik niet eens een uitweg wil vinden.

'Wie ben jij?'

'Ik ben Zacharias.'

'En dat is?'

'Een man.'

'Hoe is het om een man te zijn?'

'Net als een vrouw, maar dan met een ander omhulsel.'

'Maar verder?'

'Misschien dat ik als man iets meer afhankelijk ben van slagen, status hebben, er in andermans ogen goed uitzien. Werken is enorm belangrijk voor het zelfvertrouwen van mij, van mannen. Mijn baan is mijn eer en die mag niemand mij afpakken, dan zou ik helemaal niemand zijn.'

'En verder?'

'Soms is het moeilijk om een man te zijn. Te merken dat ik moeite heb met huilen, te merken dat ik moeite heb om mijn angst te laten zien, zodat ik nauwelijks meer weet waar die angst zit.'

'Die mag je laten zien.'

'Ja.'

'Doe dat.'

'Jawel, maar dat is niet zo gemakkelijk.'

'Jawel, dat is heel gemakkelijk.'

Is het zo gemakkelijk? Ben jij gemakkelijk om mee samen te zijn? Nee. Jij bent de wonderlijkste persoon die ik ooit heb ontmoet en ik besef dat ik de normaalste persoon ben die jij ooit hebt ontmoet en daar zijn we waanzinnig gelukkig mee, ieder aan onze eigen kant van de gedekte tafel. Wij dekken die tafel, we leggen een voor een het bestek neer, bord voor bord zetten we neer op onze steeds verder gedekte tafel en we roeren in het eenpansgerecht dat bezig is 'wij' te worden. Iedere dag leggen we iets nieuws neer en dat geeft het gevoel alsof we steeds dichter bij elkaar staan. Het ene stuk na het andere geven we aan elkaar; als trotse ouders staan we voor die puzzel van een miljoen stukjes en we kijken naar onze enthousiaste vingers.

Waar komt dit geluk vandaan? Ik besef dat ik dit geluk stap voor stap versterk, dat ik iedere dag stappen zet in stegen die eenrichtingsverkeer hebben en waarvan het moeilijk zal worden eruit te komen. Ik loop alsof ik wil dat het nooit ophoudt. Alsof de liefde eeuwiger is dan de dood en het enige wat ons kan scheiden, is de dood. Tot de dood jullie scheidt. Het is bijna komisch; de maanden verstrijken en ik zit te wachten tot de *Blitzkrieg* begint en ik word helemaal zwetend wakker in afwachting van de bommen die op onze stad zullen beginnen te vallen. In plaats daarvan stralen de sterren, ze knipogen naar mij en ik lig met mijn gezicht gekeerd naar de heldere stralen die ze iedere nacht uitzenden. Ik lig daar en voel aan mijn lichaam, deel voor deel. Mijn borst, plat met een beetje haar erop. Mijn buik, met de navel die aan de zijkant een beetje opbolt, en de pijn die hij verbergt. Mijn geslacht, dat uitgestrekt over mijn dijbeen ligt alsof het altijd bereid is met jou te vrijen. Mijn dijen, die sterk zijn na al die jaren van training, training en nog eens training, zodat niemand zou kunnen zien dat ik als kind geen prins was. Zodat niemand dat zou kunnen merken. Mijn schenen, die vol schaafwonden zitten na mijn zomervakantie met jou. De langste zomervakantie van mijn leven; ik heb jou er nog meer beloofd. Mijn tenen, die ik naar de sterren uitstrek en die nu al zo lang aan jouw zijde lopen dat ik het op een dag vanzelfsprekend vond de volgende zin uit te spreken, boven op jouw keukentafel gezeten: 'Ik hou ook van jou.'

Ik wist dat jij niets had gezegd, dat jij het over een paar

andere mensen had, maar ik wilde het zo graag in vertrouwen tegen jou zeggen, zonder bang te zijn dat de waarheid misschien niet helemaal zo simpel was: 'Ik hou ook van jou.'

Je wist niet waar je moest kijken en ik zag hoe je je hele leven had gepoogd een zin als deze te vinden, maar dat je, nu je ermee geconfronteerd werd, niets anders wilde dan hem ongezegd hebben, ongedaan gemaakt. Ik hield je tegen en jij zei wat je al wist: 'Het zal wel zo zijn dat ik ook van jou hou.'

Al mijn energie is erop gericht dit zo eenvoudig mogelijk te maken. Dat mag banaal klinken. Maar ik weet dat jouw leven meer verdriet heeft gekend dan de gebruikelijke dosis die een mens op zesentwintigjarige leeftijd meestal toegediend heeft gekregen en ik weet dat tien jaren van je leven in duigen zijn gevallen. Dat weet ik, je zegt dat tegen mij onder de sterren in de nacht dat de *Blitzkrieg* nooit komt.

'Ik was acht jaar en ze waren niet meer op de plek die ik THUIS noemde.'

'Nee.'

'Ze waren er niet en op een dag kwam Britt, en Saga en Felicia werden twee kinderen in een gezin waar ze niet welkom waren, net zoals Britt zich nooit welkom had gevoeld in ons gezin.'

'Ja.'

'Ze vroeg ons daar te wonen, nee, ze zéí dat we daar moesten wonen en ik probeerde mijn kamer zo in te richten dat het een nieuw thuis zou worden. Maar dat was moeilijk; er waren geen boekenplanken voor mijn boeken, mijn bed rook niet naar mama's parfum. Britt had geen parfum; in Britts huis leefde je parfum- en geurloos. Ik heb tien jaar in dat bed gelegen en soms vraag ik me af of ik het ooit heb verlaten; het was net alsof ik nooit echt wakker was.'

'En toen?'

'Toen kwam Felicia en ze sloeg mij met haar tranen op mijn wangen en mijn koffer werd gepakt en ze vroeg me te vertrekken. Mijn koffer te pakken en gewoon te vertrekken. Ze vroeg me wakker te worden, ze zei dat de nachtmerrie eindelijk voorbij was en ik zei dat ik niet wist dat het een nachtmerrie was geweest, dat ik dat niet had gemerkt: dat ik blijkbaar te lang had geslapen. Me had verslapen.'

'Haatte je Britt?'

'Helemaal niet. Je kon haar niet haten, hoe zou ik dat kunnen? Haten is heel gemakkelijk, ik zou zo graag willen vergeven. Als ik dat maar kon. Misschien kan ik dat nu.'

'Vergeven?'

'Zodat niet alles opnieuw begint. Als een cirkel die nooit sluit, alleen maar in spiralen naar beneden blijft gaan en ten slotte zo smal wordt dat ik met die cirkel om mijn hals stik.'

Ik druk je tegen mij aan en probeer het te begrijpen, maar ik weet dat dat onmogelijk is en mijn enige gedachte is jou een nieuw huis te geven en buiten zal er een bord hangen waarop staat: THUIS.

'Ik zal een huis voor je tekenen. Zoals ik heb beloofd', zeg ik zoals ik al zo vaak heb gedaan.

Jij knikt tegen mijn schouder.

'Een huis voor ons waarin we voor altijd kunnen wonen.'

Jij bijt in mijn oor en giechelt, ik weet niet of je lacht of huilt. Ik pak je handen en voer ze langs mijn lichaam en jij pakt mijn geslacht dat zich voor jou opricht en ik moet moeite doen om aan iets anders te denken; aan jou denken en bij jou zijn is meer dan mijn lichaam aankan. Ik kus je lichaam en doe er dingen mee die ik heb geleerd van al die vrouwen die niets betekenden. Nu ben ik die vrouwen dankbaar, ze hebben mij iets geleerd en dat leer ik nu aan jou en jij bent tegelijkertijd betoverd en verward. Je zegt: 'Ik had nooit gedacht dat je zulke dingen kon doen.'

Of: 'Ik zou het fijn vinden als je nooit ophield.'

Wanneer ik ten slotte in jou ben, of jij in mij, of wanneer wij allebei opgaan in dezelfde ademhaling, lig jij op je zij met je gezicht naar mij toe en ik kan al je gevoelens lezen. Ik meen dat ik jou kan lezen. Eerst geniet je, daarna probeer je je in te houden, daarna begrijp je niet waarom je je zou inhouden, daarna geniet je weer, daarna verras mij, daarna verras je jezelf en ten slotte huil je. Je zegt: 'Ik ben ontroerd.'

Je schudt je hoofd.

'Ik ben zo ontroerd dat ik ervan moet huilen. Ik huil van geluk, iets waarvan ik altijd heb gedacht dat het onzin was, lege praat, onnozel en banaal, en dat doe ik nou allemaal – ik huil van geluk.'

Ik glimlach en weet niet wat ik moet zeggen, uit angst dat jij zult zien dat ik niet weet waar ik zal blijven, dat ik me met mijn gevoelens geen raad weet, zoals jij. Binnen in mij maalt het: haal me hier nooit weg. Laat haar mij nooit verlaten. Alsjeblieft, laat haar blijven. Doe niets met haar. Alsjeblieft.

Maar ik glimlach alleen maar, bang dat je mij zult kunnen lezen zoals ik net jouw genot heb gelezen. Jij zegt: 'En jij? Ben jij zo sterk als je lijkt?'

'Ja.'

'Echt zo zelfverzekerd?'

'Ik weet het niet.'

'Met andere woorden: ja.'

'Misschien.'

'Je bent erg rustig.'

'Jawel.'

Je houdt van mijn zelfverzekerdheid. Wat doe je wanneer die instort? Ik vraag me keer op keer af: wat doe je als die instort?

'Hoe ben je zo rustig geworden?'

'Ik heb misschien geluk gehad.'

'Geluk?'

'Of misschien denk ik gewoon niet zo veel over alles na. Heb ik dingen vergeten. Misschien ben ik gewoon dom.'

'Nee. Ik wou dat ik ook minder kon denken. Wat zou dat ongelooflijk mooi zijn.'

Soms vraag ik me af of het beeld dat ik van mezelf geef mijn werkelijke ik is. Ik realiseer me dat daarop geen antwoord bestaat, maar toch vraag ik het me af. Ben ik degene die jij ziet? In jouw ogen meen ik een man te zien die van jou houdt, wat ook zo is. Ik meen een man te zien die gelukkig is, wat ook zo is. Ik meen een man te zien die met lichaam en ziel verankerd is in de werkelijkheid, wat ook zo is. Ik meen een man te zien die het verleden achter zich heeft gelaten, wat ook zo is. Ik meen ook een rustige, harmonieuze, zelfverzekerde man te zien met een enorme kracht. Daarvan weet ik niet of dat nog wel zo is. Op dat punt weet ik niet of ik je een beeld heb gegeven dat klopt. Hoe kan ik je een eerlijk beeld van mezelf geven, hoe kun jij dat? We liggen zo dicht bij elkaar dat onze ogen niet scherp zien, als twee camera's die in een donkere kast naar lichtflitsen zoeken. Ik vraag me af of deze nabijheid maakt dat we elkaar met meer helderheid zien of dat we er juist totaal blind van worden.

Maar ik houd van jou. Het is ongelooflijk en ik word 's ochtends wakker en jij zegt: 'Ik besta.'

En ik ga als architect naar mijn kantoor, ik blijf nooit langer dan tot vijf uur, want dan fiets ik door de stad naar huis en al in ons trappenhuis ruikt het naar Saga en ik doe onze deur open en daar sta jij met verschillende soorten brood die je hebt gebakken en je bent heel gelukkig, en dat allemaal vanwege mij. Je zegt, opnieuw: 'Ik besta.'

En dan na de maaltijd: 'Wij bestaan. Jij bestaat in mij en ik in jou en ik wil dat je nooit weggaat, nooit van mijn leven.'

Ik druk je 's nachts stevig tegen mij aan, omdat ik af en toe bang ben dat je zult verdwijnen in een wereld van saga's en mij achterlaat in de wereld die jij de werkelijkheid noemt. Voor mij is het vanzelfsprekend daarin te wonen, voor jou is dat niet altijd zo geweest. En ik ben altijd degene die je vraagt om te blijven.

Je praat over je sagawereld, over je boeken, alsof ze net zo levend zijn als mijn fiets, mijn aangespannen armen en mijn werk. Ik besef dat ze voor jou net zo echt zijn en dat maakt me bang. Dat betekent dat ik je kan verliezen aan een wereld waarin ik blind ben. Hoe kan ik je redden en terughalen naar mijn werkelijkheid? Toch ben ik gefascineerd door jouw fantasie, door jouw monologen, jouw verhalen, door jouw voortdurende vragen.

'Mijn geliefde sagavertelster', zeg ik altijd.

'Ik ben geen sagavertelster.'

'Wat ben je dan?'

'Ik heb woorden gevonden en die wonen tegenwoordig bij mij, in concurrentie met jouw liefde, en mijn diepste wens is dat ze me nooit zullen verlaten.'

'En ik?'

'Hetzelfde. Dat je er altijd zult zijn.'

Alsof je bang bent dat we zouden kunnen verdwijnen, dat er op een ochtend iemand aanbelt, ons tijdens het vrijen wakker schudt en zegt: 'Het was maar schijn. Dit is niet echt, is het ook nooit geweest. Het spijt me, maar jullie moeten nu naar huis. Alles is voorbij.'

Ik ben net zo bang. Niet voor de liefde, maar dat het allemaal maar schijn is en dat ik op een dag, wanneer ik besef dat het niets te betekenen had, jou zal kwijtraken. Sinds ik heel klein was en mijn moeder iets zei wat ik nu ben vergeten, heb ik niet meer gehuild. Het kwam er niet van. Maar in mijn dromen huil ik. Ik droom dat jij uit de werkelijkheid verdwijnt naar je eigen wereld om nooit meer terug te keren. Dan huil ik.

Wat ik me herinner is dat mama het altijd had over het perfecte leven. Wanneer ik wakker word uit mijn dromen, hoor ik haar stem en als om mijn dromen te bezweren, zodat ze niet zullen terugkeren, om ze te trotseren, fluister ik, ik laster: 'We zullen een perfect leven krijgen.'

Maar er zal niemand aanbellen om te zeggen dat het nu voorbij is. Het trieste is dat dat niet nodig zal zijn, want wij zijn zelf altijd degenen die bij onszelf aanbellen om met verbitterde stem te zeggen: 'Het was maar schijn.'

Het is nooit iemand anders die de betovering verbreekt. Alleen wijzelf doen dat.

Ik zal je drie keer verloochenen. Allemaal uit verdriet over het leven dat mijn moeder mij bood. Ik dacht dat we een perfect leven zouden krijgen. Een dergelijk leven bestaat echter niet.

Maar wel een ander leven.

H Hm

HMM *(klanknabootsend) uitdr. van verbazing, twijfel, nadenken*

Jij bezoekt mij op de plek die ik mijn kantoor noem. De plek die jij 'jouw plaats in de werkelijkheid' noemt. Je zegt dat je nooit een echte baan hebt gehad, een baan voor zo'n lange duur dat ze je in dienst zouden kunnen nemen.

'Ik ben zo bang dat ik vast kom te zitten. Vastzitten aan een keuze die kleverig is en waarvan ik me dan niet kan losmaken. Ik moet vrij zijn, maar ook de vrijheid is verlammend. Soms weet ik niet waar ik met al mijn vrijheid naartoe moet. Maar dan komt de sagawereld naar mij en dan heb ik nergens spijt van', zeg je.

'En daar kun je wonen?'

'Ja.'

'Net zoals ik woon in wat jij de werkelijkheid noemt, en die de enige plek is die ik ken.'

'Ja.'

'Voor mij is de werkelijkheid de enige wereld en die wereld geeft misschien niet altijd geborgenheid, maar hij is tastbaar en daarom durf ik te vechten, op die plek heb ik carrière gemaakt, op die plek ben ik iemand geworden', zeg ik.

'Hou je van werken?'

'Ja. Dat is mijn persoonlijkheid, mijn kracht, mijn trots. Dan voel ik me zelfverzekerd. Dat mag niemand mij afpakken.'

'Nooit?'

'Nee, dan zou er niets van me overblijven.'

Ik lach, ik lach het weg en word onzeker over het feit dat jij mij onzeker kunt maken en om mijn zelfverzekerdheid te herwinnen, strijk ik met mijn hand over mijn platte buik, mijn armen, en ik word rustig als ik voel dat ik aan de buitenkant intact ben, dat er niets te zien is. Aan de buitenkant ben ik heel.

'Hier teken ik. Dit is mijn werktafel.'

Jij knikt en je kijkt naar mijn tekeningen en je draait je hoofd opzij en vervolgens naar de andere kant en je ziet eruit als een kind dat op het werk van haar vader op bezoek is. Opeens besef ik dat jij nooit bij je vader op bezoek kunt zijn geweest, dat 'papa' voor jou alleen maar een naam is die in werkelijkheid niet meer bestaat. Alleen maar een naam die door iedereen kan worden ingevuld. Niet zoals bij mij, ik, die echt een vader heb voor wie ik me nooit verantwoordelijk heb gevoeld, aan wie ik nooit liefde heb geschonken, van wie ik me nooit iets heb aangetrokken. Hij kon net zo goed dood zijn, zo totaal heb ik hem in zijn vet laten smoren, net als mijn moeder altijd heeft gedaan. Net als moeder.

'Jij hebt de toekomst', zei ze altijd. 'De toekomst is van jou en jij moet het perfecte leven krijgen dat ik je nooit heb kunnen bieden. Met mijn hulp zul je dat zelf scheppen en je mag nooit op je schreden terugkeren.'

Ik weet nog dat we in de hal staan en zij buigt zich over mij heen en ze lijkt enorm, ik deins achteruit, maar ik heb alleen de buitendeur achter me en het enige wat ik kan doen is vluchten.

Moet ik vluchten? Dan zegt ze – dat kan ze toch niet zeggen? – ze zegt, zoals ze zo vaak heeft gezegd: 'En als je iets verkeerd doet, iets wat je toekomst, je kansen kan bederven, dan moet je iemand anders de schuld geven.'

Ik wilde protesteren, maar ik kon niets doen. Ik luisterde naar wat ze zei en ik weet niet wat er naar binnen ging, wat eruit kwam, wat er in mijn hoofd bleef zitten en ik probeer erom te lachen, maar dat lukt niet goed.

'Iemand anders de schuld geven.'

Jij staat te lachen met een van mijn collega's en wanneer je je naar mij omdraait, fladdert je rode haar en mijn collega volgt ieder gebaar, iedere verandering in je gezicht. Wat doe je met hem, wat doe je met mij? Je doet iets met je lichaam, waardoor mensen zich moeilijk van je af kunnen wenden wanneer je eraan komt. Die mengeling van kwetsbaarheid en absolute kracht. Een wereld naar binnen, een wereld naar buiten en in jouw ogen is dat dezelfde wereld en jouw schulp is niet zo dik als die van anderen. Helemaal niet zo dik, en misschien is het dat wat sommige mensen fascinerend aan je vinden en anderen van je afkeert. Ik ben gefascineerd en ik voel hoe mijn hart begint te slaan wanneer mijn collega jouw hand pakt om je zijn werk te laten zien. Alsof hij indruk op jou wil maken. Dat maakt mij ziek, dat maakt mij ziek van jaloezie en ik wil roepen: laat haar met rust. Ik moet voor haar zorgen. Ik heb haar gevonden en ik heb haar mijn vreugde geschonken en nu is ze helemaal uit zichzelf gelukkig, ze kan zichzelf nu redden! Stel je voor dat ze verdwijnt? Ik moet voor haar zorgen. Laat haar met rust.

Ik zeg niets, mijn mond beweegt en ik ben heel open en ik probeer te fluisteren, maar het lukt niet. Ik schraap mijn keel en zeg: 'Saga.'

En jij draait je om en ik weet niet waarom ik het zeg.

'Ik wil dat we mijn ouders gaan bezoeken.'

Jij knikt.

'Jazeker. Dat wil ik graag doen. Ik dacht dat jij dat niet wilde.'

Ik heb nooit een vrouw aan de ogen van mijn moeder willen blootstellen, uit angst dat alles niet zo perfect is als zij verwacht, zoals ik verwacht. Maar dit is perfect, heb ik dat nog niet gezegd? Dat dit perfect is?

'Perfect', zeg ik en ik til de hoorn op die in verbinding staat met de hoorn die mama tien seconden later oppakt.

Hoe kan het allemaal zo snel gaan?

'Mama? Met Zacharias.'

Je kijkt naar mij terwijl ik met haar praat. Je kijkt wanneer ik onwillekeurig voel hoe mijn wenkbrauwen fronsen, hoe ik met mijn hand over mijn buik strijk, hoe heel mijn lichaam verstijft. Ik probeer mij af te wenden en begin nonchalant met een mesje te spelen. Je kijkt.

'Dan komen we. Perfect.'

Ik glimlach naar je en jij ziet dingen die ik niet zie en ik wil lachen, maar jouw ogen staan dat niet toe.

'Dan gaan we.'

We rijden door de stad in een geel Renaultje dat je van je ouders hebt geërfd. Het is twintig jaar oud en heel mooi, goed onderhouden en er is geen kras op te zien. Het is op de een of andere manier bovenmenselijk, wat waarschijnlijk niet zo vreemd is, maar het is ook boventechnisch; er mankeert nooit wat aan.

'Hij zal wel nooit stukgaan, omdat hij weet dat ik hem niet kan repareren', zeg jij.

'Dat klinkt logisch.'

'Dat is heel logisch. Een andere reden is dat er in achttien jaar nauwelijks mee gereden is, omdat hij sinds hun overlijden in de opslag heeft gestaan.'

'Waar hadden ze hem vandaan?'

'Ik geloof dat ze hem hebben gekocht toen ze op vakantie in Frankrijk waren. Ik heb hem in elk geval de naam Urban gegeven en ik weet dat hij die aandacht waardeert.'

'Hadden je ouders hem zo gedoopt?'

'Dat weet ik niet, dat kan ik me niet herinneren. Misschien dat ik zo aan de naam ben gekomen. Er is zoveel dat ik niet meer kon vragen.'

'Spijt je dat?'

'Heel erg. Ik zou hun over hun liefde willen vragen, of ze zo schunnig gelukkig waren als Britt altijd zei. Ik zou willen vragen hoe je ervoor zorgt dat de liefde blijft, wat je moet doen zodat verliefdheid niet verdwijnt. In mijn herinnering zijn ze sprookjesachtig gelukkig en zo herinnert zich verder ook iedereen hen. Zoals opa en oma zeggen.'

'Kunnen die je niet vertellen wat je wilt weten?'

'Jawel, maar het is moeilijk om met hen te praten, omdat ze een dusdanig slecht geweten hebben dat dat al het andere overschaduwt, hoewel dat nu misschien wel beter wordt.'

'Ben je ook verbitterd?'

'Nee, waarom? Ik wilde nooit opgehaald worden.'

'Wilde je dat nooit?'

'Nee.'

'Waarom niet, Saga?'

Maar jij zit alleen maar met je ring tegen de autoruit te tikken en zegt tegen de weg: 'Als je maar zou kunnen vergeven. Dat is het enige wat ik wil. Ik denk ook dat ik dat kan.'

'Is dat belangrijk?'

'Ja. Het is heel belangrijk om te kunnen vergeven. Dat is iets wat jij moet leren, Zacharias. Misschien was dat het wat papa en mama konden. Maar Britt kon het niet en zij werd mijn moeder en ook al is ze daar niet zo goed in geslaagd, het is niet allemaal haar schuld en om die reden moest ik wel blijven, kon ik niet worden opgehaald, *om haar nog een kans te geven.* De kans die ik niet kreeg, de kans om te mogen kiezen.'

'En is het zo gegaan?'

'Nee.'

Je klinkt verbaasd, alsof het je nog steeds verbaast dat niet alles goed gekomen is.

'Nee. Zo ging het niet. Maar zij had, net als ik, een last te dragen en ze voelde de verwachtingen van de familie over hoe ze moest handelen. Ze torste hun verwachtingen op haar schouders en die maakten haar eenzaam en verbitterd en ik geloof niet dat mijn grootouders iets hebben gedaan om haar te helpen. Ongelukkige mensen krijgen er genoeg van.'

'En nu?'

'Nu moet ik dit geluk dragen en daarom ben ik bang. Daarom zou ik met papa en mama willen praten, om te vragen hoe ze het volhielden en of het werkelijk was zoals iedereen zei.'

Ik heb mijn rechterhand op die van jou gelegd, met mijn linkerhand bestuur ik zwijgend de gele Renault. Jij vindt autorijden niet altijd leuk, dus ik beloof de auto voor je te besturen. Je zegt dat alles wat met techniek te maken heeft je irriteert en je wilt er niets van weten. Van computers ga je gillen en je begrijpt niet wat ze zeggen. Je gilt altijd: 'Hoezo? Waarom maakt hij geen contact? Dat is toch gewoon praten met de printer? Zeg dat tegen hem!'

En vervolgens loop je weg en spring je in bed en je woede

brengt mij in verwarring. Wat moet ik hier nu mee aan? En ik repareer de computer voor je, soms bestuur ik de auto voor je en ik denk dat ik voor je zorg, maar ik weet het nooit echt.

Ik zeg, wanneer ik het huis uit mijn kinderjaren in de niet zo trendy buitenwijk zie: 'Nu zijn we er.'

Niet thuis, maar hier. Hier zijn we. Die flinke Zacharias met de perfecte vrouw die misschien een paar eigenaardigheden heeft, maar dat komt omdat ze *artistiek* is en dat is iets heel voornaams en alles is goed en kan alleen nog maar beter worden en... Ik houd mijn adem in en voel hoe ik opnieuw mijn wenkbrauwen begin te fronsen, maar ik ben ervan overtuigd dat dat komt omdat ik me schaam dat je mijn vader te zien krijgt, die zo dik en nietszeggend is. Ik ben bang dat je misschien spijt krijgt. Bang, hoewel ik mezelf heb beloofd dat nooit te worden. Ik ben het woord kwijt dat ik zo vaak heb gebruikt om jou te bereiken.

Mijn moeder komt naar buiten en de grond golft onder me heen en weer en jij probeert te glimlachen, maar je kijkt me vreemd aan en ik moet mezelf met geweld terugsleuren naar de werkelijkheid waarvan ik zo resoluut heb gezegd dat ik daarbij hoor. Ergens binnen in mij golft het zo heen en weer dat ik er misselijk van begin te worden en ik denk dat dat misschien komt van de autorit. Misschien is er iets mis met de vering? Alles trilt, alles trilt zo. Ik verontschuldig me en ga een beetje water drinken, en in mama's spiegel in de badkamer zie ik een klein dik jongetje. Ik hoor hoe mama op de deur staat te bonzen en ze roept en ze zegt nog iets, maar ik hoor niets en ik buig me over de wastafel om over te geven, ik geloof dat ik moet overgeven en ik sta weer op mijn benen te zwabberen tot ik jouw stem hoor: 'Zacharias? Ik ben het, Saga. Hoe is het?'

'Goed. Ik drink alleen een beetje water.'

'Oké. Ik ga wat drinken met je vader. Hij is leuk, vind ik.'

'Leuk?'

'Ja.'

'Saga? Ik...'

'Ja?'

'Niks.'

'Zacharias? Ik hou van je. Ik hou van je. Ik hou van je.'

Drie keer zeg je dat. Het is net een bezwering waardoor mijn innerlijk ophoudt met golven, ik ga rechtop staan en houd mijn hand tegen mijn voorhoofd en zie opnieuw een sterke Zacharias die de humor als voornaamste wapen heeft. Ik roep je na: 'Bedank de duivel daar maar voor! Zo knap als ik ben.'

Maar je hoort het niet. Ik doe het licht uit en ga de trap af en de tuin in en daar zit mama aan een gedekte tafel, papa rechts en jij in het midden met je ellebogen op het tafelblad, met een heel gelukkige lach naar mijn vader toegekeerd. Papa lacht ook, ik wou dat ik wist waar jullie om lachten.

'Zacharias! Saga vertelde over haar reis in Afrika', zegt papa. 'Het blijkt dat we op dezelfde plek zijn geweest, maar met dertig jaar verschil!'

'Ben jij in Afrika geweest?'

'Ik ben daar geweest voordat ik je moeder leerde kennen.'

'O.'

En daarna lachen jullie weer en ik wend me tot mijn moeder, wier mond net een streep is, ze zit verstijfd in een houding die interesse moet uitstralen maar waardoor ze er voornamelijk als een wassen pop uitziet. Haar lichaam is slank, bijna benig, en alles aan haar kleding is perfect; ze is precies zo duur gekleed als papa's inkomen waar kan maken en haar kapsel ligt keurig gekamd rond haar ogen die naar mij kijken. Het lijkt alsof ze willen zeggen: wees het met mij eens. Wat er ook gebeurt, wees het met mij eens. Sta aan mijn kant.

En ik schud mijn hoofd, begrijp het niet en wil het ook niet begrijpen en zo gaat het de hele maaltijd verder: mijn vader deinend in al zijn dikte, in al zijn vrolijkheid, en jij, jij ziet er aan zijn zijde stralend uit, en ik zit met een rechte rug mooi te wezen, nergens goed voor. Mama naast mij, net zo mooi, nergens goed voor. Mijn moeder zegt, ze onderbreekt jullie gesprek: 'Hij was erg schattig als kind.'

'Wie?' vraag jij.

'Zacharias.'

'Natuurlijk', glimlach jij naar mij.

'Heel schattig en mollig.'

'O.'

'Maar godzijdank is het babyvet nu weg!'

'Godzijdank?' vraag jij met een geïrriteerde blik.

En mama lacht en ik lach ook, als een circusdirecteur die een doof publiek vraagt om de maat te houden en ik ga nog harder lachen en papa en Saga zeggen niets.

Ik herinner me niet, weet niet hoe de avond afloopt, ergens houdt de tijd op en wanneer we in de auto naar huis zitten, hoor ik mezelf, ik ben het die zegt: 'Dat viel best mee.'

Jij zegt niets.

'Of niet?'

'Jawel.'

Opnieuw stilte en ik rij door de *Blitzkrieg* en niemand zegt wat tot we in bed liggen en ik probeer alles weer te normaliseren door grapjes te maken, door jou te kietelen, door alles weg, weg, weg te lachen, zodat het nooit meer terugkomt.

Jij zegt: 'Waarom ben je zo ongeïnteresseerd in je vader?'

'Dat ben ik niet.'

'Je weet toch niets over hem, je vraagt niets.'

'Je weet hoe dat gaat. Je neemt elkaar als vanzelfsprekend aan en vervolgens vergeet je te vragen naar dingen die hem zijn overkomen.'

'Je mag het leven nooit als vanzelfsprekend aannemen! Hoor je me? Mensen nooit als vanzelfsprekend aannemen.'

Je bent rechtop in bed gaan zitten en je kijkt op mij neer zoals ik daar lig en ik haat mijzelf om de manier waarop ik met mijn handen in mijn nek lig en alles langs mij heen laat gaan, zoals altijd.

'Oké. Rustig, dat moet ik inderdaad niet doen!'

Jij draait je om en de oude welbekende buikpijn begint weer en ik krijg krampen, maar ik durf je niet te wekken. Wat doe jij als ik instort?

Het doet verschrikkelijk pijn en ik weet dat het steeds meer pijn gaat doen totdat ik me ontspan. Ik weet dat ik eigenlijk water zou moeten gaan drinken in de badkamer, maar ik durf niet. Het is lachwekkend, maar ik durf niet eens een hand uit te strekken om jou om hulp te vragen.

Wat doe jij als ik instort?

I Iteration

ITERATIE *herhaling; (jur.) recidive*

We doen een spelletje. We staan op uit ons gemeenschappelijke bed, slaan de gebloemde lakens terug en rennen vervolgens de woonkamer in, waar de meubels staan die jij hebt geërfd. Daar, links, staat de bruine leren bank die van je ouders is geweest. Daar moet jij, bij hen op schoot, hebben zitten luisteren naar Stan Getz. Ze moeten jou en Felicia hebben gewiegd, in slaap gewiegd. En toen op een dag, op een dag werden jullie wakker en was alles anders.

Jij bent niet veranderd: jouw haar staat alle kanten op en jij hebt mijn cd-speler aangezet, die veel moderner is dan de platenspeler waarop jij naar Stan Getz luisterde. Dit apparaat laat geen ruis horen, geen geknars, geen bijgeluiden, zodat je rustig achterover kunt leunen en denken dat je bij een concert bent, of je ogen sluiten, meezingen en je verbeelden dat je zelf een ster bent.

'Maar waarom niet?' vraag jij.

'Hoezo waarom niet?'

'Waarom mag je geen geknars horen?'

'Omdat het geluid perfect moet zijn.'

'Geen tikken?'

'Geen krassen.'

'Maar dat is toch saai! Het leukste was immers altijd om de platenspeler aan te hebben staan en te wachten tot hij bleef hangen en dan hetzelfde refrein keer op keer te zingen, totdat mama er gek van werd en de naald naar het volgende liedje doorschoof.'

'Was dat het leukste?'

'Ja.'

We doen een spelletje. Ik zet een plaat op, een blauwe met sterren, jij vindt die mooi. Daarna ga ik zingen en jij bent mijn achtergrondbegeleiding en we verkleden ons met allerlei spullen en ik mag de zanger zijn, iets wat ik altijd heb gewild maar wat materieel natuurlijk nooit enige zoden aan de dijk zou hebben gezet, althans nauwelijks genoeg om verder te komen dan de niet zo trendy buitenwijk. Geen beroep dat iets zou opleveren wat mijn moeder, ik, had gewild. Dan was ik nooit in staat geweest daar weg te komen. En dromen zijn dromen en we moeten leven in de werkelijkheid.

Ik sta verkleed op de eettafel en dadelijk komt het favoriete liedje dat begint met een vrouw die zachtjes op de achtergrond zingt, ze fluistert bijna. Jij bent degene die zingt en je staat achter mij op de tafel en ik wil dat we de luxaflex naar beneden doen, maar dat wil jij niet. Jij zingt mee, heel zachtjes: *'I love you.'*

En daarna is het stil, een hele poos, en je hoort de man, je hoort mij zingen: *'Sure!'*

'Natuurlijk, natuurlijk hou je van mij!' zegt hij met honende stem en ik voel me opnieuw net een rockster en ik weet dat het belachelijk is, absurd, en ik bloos en ik trek je van de tafel af waar je mij staat uit te lachen.

'Wat is er?'

'Je bent lief wanneer je een rockster wilt zijn.'

Ik bloos opnieuw en trek je mee naar het bed, waar ik doorga met ster spelen en we doen net of we elkaar niet kennen, alsof jij een bewonderaarster bent die bij de deur stond en toevallig aanklopte.

Ik streel je borsten en je ogen laten de mijne niet los en ik behandel je als een vreemdeling en je ademt zwaar.

'Lieveling?' zeg je.

'Lieveling.'

'Droom je daar vaak over? Over vrijen met anderen?'

'Hoezo?'

'Nou, dat je met anderen kunt zijn.'

'Nee.'

'Wees eerlijk.'

'Ik ben eerlijk.'

'Dat ben je niet. Als we hebben besloten dat dit de bedoeling is, dan zijn we voorbestemd om de rest van ons leven bij elkaar te blijven.'

'Dat is zo.'

'Maar dan mag je nooit met iemand anders vrijen.'

'Nee.'

'Wil je dat wel?'

'Ja.'

'Zie je wel, dan droom je daar toch van.'

'Ja.'

'Wat droom je?'

'Alsjeblieft?'

'Zeg het.'

'Oké. Ik droom over anderen. Dat ik met hen vrij.'

'Wanneer dan?'

'Als ik een mooie vrouw zie droom ik. Soms.'

'O. Ik ook. Daar droom ik over.'

Ergens is het betoverend, dat we hebben besloten dat we voor elkaar bestemd zijn; ergens is het ontzettend. Hoe kunnen we nog op onze schreden terugkeren? En toch wil ik niet op mijn schreden terugkeren. Jij bent mijn beste vriend, de zus die ik nooit gehad heb, mijn minnares, mijn vriendinnetje, mijn speelkameraadje, degene met wie ik de meeste lol heb. Jij bent alles wat ik wenste en waar moet ik het anders zoeken? Ik heb het gevoel dat mijn leven uitgerekend daarop neerkomt: jou het geluk teruggeven en het tijdens dat proces aan mijzelf teruggeven. Ook al is jouw leven zo veel harder geweest, heb jij zo veel meer nodig. Mij is niets overkomen. Helemaal niets. Ik ben van jongetje met overgewicht naar prinsje gegaan, naar grote prins en nu ben ik een man, architect en vriend. In die volgorde.

De telefoon gaat en het is mama en zoals gewoonlijk belt ze op het meest ongelegen moment, alsof ze achter het raam hier recht tegenover woont en de hoorn oppakt op het moment dat wij de luxaflex laten zakken. Ze heeft het ergens over, ik weet niet wat, misschien over het etentje, ik neem aan dat ik haar bedank, ik weet het niet. Daarna heeft ze het over papa en ze heeft zich vandaag een bittere stem aangemeten, zoals op zoveel andere dagen. Ze zegt: 'Nee, ik klaag niet. Spreek ik óóit kwaad over anderen? Het gaat allemaal fantastisch, geweldig, als je vader zich maar wist te vermannen en iets dééd. Iets van zijn leven maakte, in plaats van daar maar jaar in jaar uit op dat kantoor zonder mogelijkheden te zitten. Maar ik neem aan dat het nu te laat is. Dat het al te laat is. Maar jij hebt je leven nog voor je. Maak daar gebruik van, schat, maak daar gebruik van.'

Ik ontdek iets vreemds, namelijk de manier waarop ik de hoorn vasthoud. Ik houd die met beide handen een stukje van mijn oor af en soms leg ik er een hand tussen als bescherming.

Alsof ik me wil beschermen tegen haar woorden. Als ik maar wist waartegen ik mij beschermde. Als ik dat wist, maar ik wil het niet weten, ik wil werken, ik wil nu naar mijn werk en flink overwerken om mama's stem niet te hoeven horen. Ik sla mijn ogen ten hemel wanneer ik me naar jou toe draai, zoals jij daar naakt in de kussens ligt en mij helemaal doorziet. Jouw ogen hinderen mij, jouw eerlijkheid hindert mij en ik wil niet thuiskomen om jouw vragen te horen, dat kan ik niet opbrengen. Ik sla mijn ogen ten hemel, trek mijn schouders op en knipoog om een verbond met jou te sluiten. Een blik die zegt: 'Je-weet-hoe-ze-is-nu-zit-ze-weer-te-zeuren.' Zo'n blik werp ik je toe, maar je begrijpt hem niet en ik keer je de rug toe en herhaal in de hoorn: 'Zeg, mama? Ik moet nu weg.'

'Natuurlijk. Maar zo erg is het niet.'

'Jawel, maar ik moet nu echt weg.'

Voordat het gesprek afgelopen is, heb ik alle culturele pagina's van de krant gelezen, maar ik heb geen idee wat erin stond. Eindelijk legt ze neer en ik ren naar de douche en mijn buikkrampen beginnen en ik wil je zo graag om hulp vragen, maar ik kan het niet omdat ik degene ben die sterk moet zijn, altijd, altijd ik. Ik lig dubbelgevouwen van de pijn in de douche en jij klopt op de deur, maar ik kan je vragen niet verdragen.

'Verman je', fluister ik. 'Je bent sterk, laat Saga je zo niet zien.'

Die woorden troosten me en ik ga staan en keer mijn gezicht naar het water dat op mij neerstraalt. Ik kijk in de gaatjes waar het water uitkomt en ik probeer mezelf van bovenaf te bekijken, zoals de douchekop doet, maar alles wat ik zie, is een stakker die zijn eigen telefoon niet op de haak durft te leggen.

Ik stap de douche uit en jij hebt je ochtendjas aan en op de een of andere onaangename manier lijk je op mijn moeder die nooit van haar leven een baan heeft gehad en die 's ochtends altijd in haar ochtendjas bij de voordeur stond om mijn vader en mij uit te zwaaien.

'Wat ga je vandaag doen?' vraag ik en ik bespeur een vage toon van verachting. Waar komt die vandaan?

'Naar de bibliotheek om een paar dingen op te zoeken. Daarna ga ik schrijven.'

'Mooi.'

Terwijl ik me aankleed wordt het stil. Dan zeg jij: 'Ik red mezelf wel, weet je. Ik kan mezelf uitstekend redden.'

'Dat weet ik.'

'Mooi. Verder wil ik nog zeggen dat ik de manier waarop jij je moeder behandelt niet prettig vind. Ze is wel wat meer respect waard dan dat jij de hele tijd gezichten zit te trekken en de culturele pagina's zit te lezen terwijl zij over haar problemen vertelt.'

'Dit begrijp jij niet. Het is veel ingewikkelder.'

'Maar leg het me dan uit.'

'Nu niet.'

'Wanneer dan?'

'Later.'

'Vanavond?'

'Ik moet overwerken.'

'Dat komt je goed uit.'

'Saga? Hou op.'

'Je bent laf.'

'Alsjeblieft, hou op.'

Je loopt van de slaapkamer naar het toilet en ik weet dat je huilt en ik wou dat ik daar iets aan kon doen, maar het enige wat ik zie is mama die in een oude ochtendjas over mij heen gebogen staat, en de pijn in mijn buik maakt dat ik van huis wil wegrennen. Het is vreemd, dat het zo lang geleden is dat ik aan mijn jeugd heb gedacht. Ik ben nu dertig jaar en ik kan me goed redden. Dat zeg ik altijd tegen jou: 'Ik heb me achtentwintig jaar zonder jou gered.'

'Dat is geen excuus', antwoord jij dan altijd.

Nu roep je uit de badkamer: 'Ik accepteer geen excuses.'

'Saga?'

'Ga naar je werk! Ga weg.'

En ik loop de douche in en draai die dicht en houd je vast terwijl je huilt en ik probeer de lichte ondertoon van verbittering die ik in jouw stem hoor te verdringen en ik weet dat ik me in mezelf keer, ver van jou vandaan.

'Ooit moet je het vertellen', fluister jij.

'Er is niet veel te vertellen.'

'Maar vertel dat dan.'

'Later. Ik moet nu weg. Tot vanavond.'

En alsof ik een kind achterlaat voeg ik eraan toe: 'Dan gaan we iets leuks verzinnen.'

Jij lacht ironisch, maar ik geef er de voorkeur aan dat te negeren – de strekking daarvan. Ik geef de voorkeur aan negeren, zoals ik altijd heb gedaan en ik kom op mijn werk, dat mijn vrijstaat vormt, en ik voel me rustig en ik werk snel en efficiënt, me ervan bewust dat ik ook vandaag laat ben. Ik praat met mijn collega's, die raar kijken en ik bekijk mezelf in de spiegel om te zien of ik veranderd ben, maar ik ben dezelfde Zacharias. Ik probeer grappen te maken, maar de grappen zijn net zo plat als mijn keiharde buik tegenwoordig is. Wanneer een van mijn collega's langs loopt, pak ik hem bij zijn arm, op dezelfde manier als hij Saga een keer bij haar arm pakte.

'Wat is er gebeurd?'

'Dus je weet het nog niet?'

'Nee.'

'De tijden zijn momenteel slecht.'

'Dat weet ik.'

'Er moeten er een paar uit.'

'Uit?'

'Vandaag gaan ze er een paar ontslaan. Er is te weinig werk. We kunnen niets doen behalve wachten.'

En de grond beeft en ik krijg steeds meer pijn en ik ga voor het raam staan en probeer koel na te denken en uit te rekenen hoeveel jaren ik hier al werk, maar het lukt me niet om de cijfers te laten kloppen. 'Het laatst erin, het eerst eruit. Het laatst erin, het eerst eruit.' Dat klinkt als een spelletje dat we deden toen ik een kind was en ik weet niet of ik moet lachen of huilen, maar ik denk keer op keer: dat overkomt mij niet.

Net als een kankerpatiënt.

Dat overkomt mij niet.

Net als een invalide.

Dat overkomt mij niet.

Net als een verlamde.

Dat kan mij niet overkomen. Dat kan niet.

En dan als een knip die breekt, een knip die een deur dichthield van een kast die volgepropt was met spullen die er gewoon op lagen te wachten naar buiten te schieten: stel je voor dat ik instort?

Op weg naar huis die dag, gezeten in onze gele auto die nooit kapotgaat, is dat de enige gedachte waar ruimte voor is in mijn hersenen, die helemaal verweekt lijken, als een spons die vol water zit en waar geen druppel meer bij kan.

Stel je voor dat ik instort?

Ik stap uit de auto, uit de omhelzing van Urban, en loop de trap op naar onze flat en buiten de deur ruikt het al naar jou en ik wil huilen, maar mannen huilen niet, ik heb niet meer gehuild sinds ik een kind was en ik weet niet eens waarom. Wat een ironie. Wat weet ik toch verschrikkelijk weinig.

Jij doet de deur open en je kijkt ontzet. Ik besef dat mijn gelaatstrekken eraf gevallen moeten zijn, dat ik op de een of andere manier half moet zijn geworden en je fluistert, je handen trillen terwijl je de mijne zoekt die stevig gebald zijn.

'Wat is er gebeurd?'

'Ik ga niet meer werken.'

'Vanavond niet?'

'Nu niet. Morgen niet. Helemaal niet.'

En je trekt me naar binnen, ons huis binnen, en mijn sponsachtige lelijke hoofd tegen jouw mooie borsten te mogen leggen, is het meest vreedzame dat een mens kan verlangen.

Het meest vreedzame dat een mens kan verlangen.

J Judaspenning

JUDASLOON betaling voor verraad of ander bedrog

Mijn blik is op het plafond gericht. Mijn blik kan het plafond niet loslaten, hij blijft daar hangen en ik lig op mijn rug en neem aan dat de hele wereld zich voor mij zou openen als ik er maar naar durfde te kijken.

'Kijk, daar is het hele leven! Het is gewoon een kwestie van instappen. Je bent nu helemaal vrij, vrij om te doen wat je wilt. Je hoeft geen architect te zijn, je hoeft niet sterk te zijn, je hoeft niet leuk te zijn, je hoeft niet te zijn wat je moeder allemaal wilde dat je zou worden. Helemaal niet. Je kunt opnieuw beginnen en zijn wie je echt wilt zijn.'

Maar wie wil ik zijn? En in dat geval: wie ben ik om te beginnen? Hoe weten mensen dat? Hoe kunnen ze wanneer ze 's ochtends wakker worden, weten wie ze in werkelijkheid zijn? Ik heb die vraag verdrongen door over te werken wanneer hij, of jij, te luidruchtig werd. Wanneer de vragen zich buiten voor de deur begonnen op te dringen, als een stofzuigerverkoper die weigert zich gewonnen te geven, dan sprong ik via de balkondeur naar buiten om kreukvrij en opgelucht te arriveren op mijn werk, bij mijn studie of op mijn sportschool, waar ik het lichaam opbouwde dat tegenwoordig van mij is. Mijn grootste bescherming tegen de waanzin. Waarom zeg ik dat?

Welke waanzin? Ik ben altijd geborgen, grappig, geliefd, harmonieus geweest. Ik heb jaar in, jaar uit hetzelfde thuis gehad en in regen en zonneschijn heeft mama voor het raam staan wuiven.

Dus waarom lig ik met mijn blik op het plafond gericht? Wat is daar te zien? Met de luxaflex in onze slaapkamer naar beneden is er ook niet veel licht waarbij je iets kunt ontdekken. Ik zie alleen vage donkere schakeringen op het plafond, dat veel werkelijker aandoet dan ikzelf. Mijn buikkrampen worden erger wanneer ik rechtop ga zitten, dus ik besluit languit in bed te blijven liggen totdat ze over zijn. Hoeveel dagen zijn er verstreken? Tien, twintig, dertig? Een maand, twee, drie? De tijd verstrijkt en er komen steeds meer vlekken bij tegen het plafond, ik ontdek voortdurend nieuwe. Wanneer mijn vrienden bellen om te vragen hoe het met solliciteren gaat, antwoord ik altijd: 'Je weet hoe het is. Laagconjunctuur.'

Dat is een goed woord: laagconjunctuur. Dat kun je voor veel dingen gebruiken: bedlegerigheid, duisternis, vernedering, angst, verdriet, buikpijn, apathie. Maar daar heb ik allemaal niets van. Ik ben slechts een deel van de economische laagconjunctuur die de westerse wereld in haar smerige greep houdt en ik ben een van haar ellendige gevangenen, omdat ook ik mijn werkkracht aan het kapitaal heb verkocht en niet langer een vrij mens ben. Dus is het niet mijn fout dat ik hier tussen vier muren lig. Ik heb het gevoel alsof ik als een stofdeeltje tussen twee lamellen van de luxaflex lig, waar het licht nauwelijks doorheen kan komen. Terwijl de pijn in mijn buik mij wakker, helder en nuchter houdt, golft de wereld onder mij.

Ik wil niet dat jij me zo ziet. Wanneer jij thuiskomt, sta ik altijd onder de douche, of maak ik het bed op, was ik af, schrijf ik brieven, loop ik personeelsadvertenties door of breng ik mijn gelaatstrekken op orde. Jij mag niets merken, ik ben sterk en jij bent zwak na al die jaren van belegering, na al die jaren in het niemandsland, waarvan ik het als mijn opdracht heb gezien jou daaruit weg te halen. Dat zijn onze rollen en we leven vastgemetseld. Ik heb je – is dat zo? – een perfect leven beloofd en daar zal ik me aan houden. Zodra deze laagconjunctuur voorbij is, zullen de groene weiden van het leven voor eeuwig de jouwe zijn en je zult nooit een verstolen blik op het gras van de buurman hoeven te werpen. Hoe moet ik dat volhouden? Dat vraag ik me alleen af. Hoe moet ik dat volhouden, wanneer het plafond boven ons bed zo betoverend, bijna hypnotiserend is? En met deze buikpijn kan ik nergens naartoe, dat weet ik. Wanneer die over is, moet ik opnieuw beginnen. Dan beginnen wij opnieuw, maar nu, nu ben ik niet in staat mijn plaats tussen de lamellen van de luxaflex te verlaten. Als jij dat maar niet ziet, als jij dat maar niet ziet. God, laat jij dat niet hoeven zien.

Ik ben opnieuw een klein dik jongetje dat stiekem een mooie vrouw bekijkt. Ik kan niet begrijpen dat die vrouw van mij houdt en ik weet niet hoe ik in ruil daarvoor van jou moet houden, nu ik tot niets ben gekrompen en alleen maar tussen de lamellen van de luxaflex geperst kan liggen. Hoe kan ik van jou houden?

Ik kan niet met je vrijen. Ik zeg dat dat waarschijnlijk door mijn buik komt, dat daar tijdelijk iets vreemds mee is. En dat is toch ook zo. Jij kijkt naar mij en zegt: 'Maar je begrijpt toch wel dat het niet uitmaakt?'

'Wat?'

'Dat je niet wilt.'

'Ja, maar ik wil wel! Ik wil wel.'

'Maar het geeft niet.'

'Nee.'

'Wij zijn niet twee producten van weekbladen, die snel, pijnloos en vrij van infecties in de grootste harmonie onze eigen lusten moeten bevredigen.'

'Nee, dat weet ik.'

En jij schudt je hoofd alsof je er niet zeker van bent of ik wel heb begrepen wat jij bedoelt. Helemaal niet zeker.

Jij zegt altijd, jij zegt: 'Vertrouw op mij.'

En opnieuw: 'Vertrouw op mij.'

En ik zeg, altijd zeg ik: 'Dat doe ik ook.'

En jij knikt, maar die knik betekent van alles en niets. Helemaal niets en ik krimp, maar dat mag jij niet zien.

'Hoe is het vandaag gegaan?'

'Goed. Ik heb een paar vacatures zien staan om achteraan te gaan.'

'Wat zeiden ze?'

'Dat hoor ik morgen. Dan zal ik bellen.'

Van jou krijg ik een slecht geweten en dat irriteert me. Ik ben toch degene die de boel regelt; wat doe je met mij?

'Ik heb voor morgen een afspraak voor je gemaakt.'

'Een afspraak?'

'Ja, bij de dokter. Ik maak me ongerust over jouw buikpijn en nu wil ik dat je alle tests doet die er zijn, en dan zien we wel wat het is.'

'Maar zo erg is het niet.'

'Jawel, dat merk ik aan je.'

'Merk je dat?'

'Natuurlijk!'

En vervolgens, alsof je wilt zeggen dat je alles al van mij weet, kent en ziet: 'Ik hou immers van jou!'

Ik houd je dicht tegen mij aan en leg mijn hoofd op jouw schouder en haal keer op keer diep adem en probeer jou in te ademen om je binnen in mij te hebben.

"Houd je hoofd erbij. Blijf overeind. Blijf intact."

En vervolgens, glashelder: "Geef iemand anders de schuld."

'Dank je wel. Het zal fijn zijn om erachter te komen wat het is. Dat het eindelijk ophoudt.'

'Maar alleen jij kunt het laten ophouden.'

Ik zwijg, kan niets zeggen, maar weet dat jij gelijk hebt. Ik wil zo graag de luxaflex omhoogtrekken en mijn blik van het plafond losmaken en lichaam en geest reinigen, jou vragen of je een wandeling met me wilt maken, en ademen alsof ik vlak voor 's levens eerste schreeuw sta: verliefd.

Ik glimlach naar je, maar mijn mond verroert zich niet.

'Dank je.'

In het ziekenhuis nemen ze alle mogelijke en onmogelijke monsters en ik voel me in hun vakkundige handen net een instrument. Ik speel wanneer zij daarom vragen en ik zing de noten die zij wensen. Ik ben helemaal willoos in een bad van gelei en ze trekken me voort, voort door allerlei gangen en het is tegelijkertijd onaangenaam en vreselijk aangenaam. Ik hoef immers niets te doen! Niets, en het enige wat van mij verwacht wordt, is dat ik het verdraag, dat ik mij op mijn rug draai en mijn mond opensper wanneer dat gevraagd wordt. Dat is het enige wat ze vragen en ik kan het niet verdragen, maar ik adem, ik ben gezond en ik ben ziek, ik ben heel en ik ben half. Ik ben reageerbuis, ik ben bloeddruk, ik ben stethoscoop, ik ben bloedplasma, ik ben bloedgroep, ik ben buik, ik ben pijn, ik ben darmen, ik ben klysma, ik ben infuus, ik ben aspirientje – ik ben gereduceerd tot een nummer op een formulier en dat is mooi, fantastisch, en van mij wordt niets verwacht. Helemaal niets.

Wanneer ik weer thuis ben, moet ik vijf dagen wachten en tijdens die dagen ben ik haast gezond, bijna weer gezond. Ik heb me aan de geneeskunde overgegeven en die zal mij opensnijden, in mij snijden als dat nodig is om mij gezond te maken. Opengesneden, op van de zenuwen voel ik mij toch wonderlijk veilig. Het kan alleen nog maar beter worden, dat hebben ze me beloofd. Met wat pillen kan het alleen nog maar beter worden. Ik ben druk aan het solliciteren, de telefoon en de postbode zijn mijn twee belangrijkste contacten met de buitenwereld en ik voel hoe mijn handen trillen, voel dat ik daar binnenkort wat aan moet doen. Dat moet. Binnenkort.

Vijf dagen later zit ik bij dezelfde arts die mij heeft ontvangen. Hij is bruingebrand, het is lente en fantastisch weer, hetgeen nauwelijks tot mij is doorgedrongen. Bij hem vergeleken voel ik me een stuk ongegist brood, wit en deegachtig. Ik probeer met mijn hand over mijn buik te strijken, maar ik ben bang dat ik de vetrol voel die daar pas is ontstaan. Bang. De arts is niet bijzonder oud, waardoor hij lijkt te vinden dat dit gesprek op een persoonlijk en vertrouwelijk niveau kan plaatsvinden.

'Ja, dit is natuurlijk niets nieuws!'

'Niets nieuws?'

'Ja, u hebt immers al eerder tests ondergaan. Niet in dit ziekenhuis, maar in uw oude woonplaats, even kijken, vijftien jaar geleden diverse malen.'

'O.'

'Weet u dat niet meer?'

Natuurlijk weet ik dat nog. Ik ben misschien veertien jaar. Ik ben met mama in het ziekenhuis. Er is iets gebeurd en ik heb acute buikpijn en mama houdt mijn hand vast. Ze is er. Het is een liefdevol beeld dat ik me voor de geest haal: ik met pijn op een brancard en mama als een madonna aan mijn zijde. Ze doen tests. Ik ben reageerbuis, ik ben bloedplasma, ik ben…

'Weet u dat nog?'

'Ja. Min of meer. Maar niet wat er toen gebeurd is. Het zal wel over zijn gegaan.'

'Ik heb hier uw oude statussen, die heb ik opgevraagd. U had kennelijk waanzinnige, steeds terugkerende pijnen. Volgens uzelf en volgens uw moeder. U bent toen ook enorm snel afgevallen.'

'Ja, dat was ook de bedoeling.'

'De bedoeling?'

'Ik had overgewicht.'

'O. Dat kan. Maar het punt is dat ze niets bij u konden vinden.'

'Helemaal niets?'

'Nee.'

'En nu?'

Hij zwijgt en kijkt langs me heen, over me heen, alsof ik een clown ben aan wie hij geen tijd wil verspillen, humor spreekt hem niet aan, en hij heeft hier trouwens werk te doen, hij is nodig, hij heeft belangrijker zaken te doen dan met mij praten.

'Nee. Niets. Er mankeert u niets. Niets wat wij kunnen vinden in elk geval', voegt hij eraan toe alsof hij zich wil indekken, zodat ik me niet al te vernederd zal voelen.

Ik sta op om weg te gaan en mijn buik maakt zich kenbaar met korte, doffe steken.

'Niets, behalve wat u al weet', zegt hij wanneer ik bij de deur sta.

'Al weet?'

Hij kijkt mij aan. Geniet hij?

'Wat!? Wat weet?'

'Uw onvruchtbaarheid.'

'Onvruchtbaarheid?'

'Dat u onvruchtbaar bent. Sorry, maar wist u dat niet? Maar dat staat hier in de status! Dat moeten ze aan u verteld hebben, of aan uw moeder. Het spijt me, maar daar ging ik van uit. Hier staat het.'

Hij wijst verward naar de papieren die hij onder zijn arm houdt. En zegt dan weer: 'Dat u onvruchtbaar bent.'

Het is stil. Veel te stil. Als om te verduidelijken, als om een weg uit de stilte te vinden, uit deze spreekkamer, verklaart hij: 'U kunt geen kinderen krijgen.'

Ik geloof dat ik met de auto naar huis ga. Misschien neem ik de metro, lopen kan ik toch niet? Ik loop de hele weg naar huis, langs de autoweg de stad in, door de stad, en mijn sportschoenen zijn helemaal versleten en mijn benen doen pijn wanneer ik voor onze deur sta. Het is avond geworden en jij opent de deur nog voor ik de sleutel tevoorschijn heb kunnen halen.

De tranen lopen over je wangen. Je schokschoudert en je trekt mij de kamer in en je slaat mij op mijn rug en je schreeuwt en je fluistert: 'Lieveling, lieveling, lieveling.'

'Weet je het?'

'De dokter belde om te checken of je was thuisgekomen. Hij was ongerust over je, dat je jezelf iets zou aandoen. En hij schaamde zich.'

'Heeft hij het jou verteld?'

'Ik heb hem gedwongen.'

'Gedwongen.'

'Ik heb gezegd dat ik je vrouw ben. Dat de familie het recht heeft om het te weten.'

'Je hebt gelogen.'

'Nee. Ik ben jouw familie.'

Ik zwijg, ik wil me uit jouw omhelzing losmaken, de omhelzing van alle vrouwen, de omhelzing van mama. Ik zeg, uit de verte, vreemd, koud: 'Mama moet het geweten hebben.'

'Hoezo?'

'Ze wisten het immers al toen ik veertien was. Ze moeten het tegen haar hebben gezegd.'

'Je moet haar bellen.'

'Nee.'

'Jawel! Je moet het weten, je moet het vragen en begrijpen!'

'Nee!'

Ik schreeuw tegen je en ik wil stilte om me heen, laat me met rust, ga weg, kom niet meer terug, bespaar me je liefde die vanaf nu tot een waakvlammetje gereduceerd zal zijn. Bespaar me je melancholie, je medelijden, die tot niets zullen krimpen nu het leven allesbehalve perfect is gebleken. Ga nu, ga maar meteen. Wij hebben samen geen toekomst, het was maar een grapje, de bedoeling was geen bedoeling, onze liefde was geen uitverkiezing en het was een bedenksel van de kant van God en als ik het kon opbrengen zou ik lachen, want het is heel komisch. Maar het is moeilijk om te lachen om een God die groter is dan wij, dat is moeilijk en de schaduwen spelen tegen het plafond en de luxaflex is voor eeuwig neergelaten.

Je gaat achter mij op het bed liggen en ik voel je borsten tegen mijn rug, je warmte die binnenkort in kilte zal omslaan. Je armen vlecht je om mijn buik als om de pijn te verlichten die als damp naar het plafond opstijgt.

Nu moet het verloochenen beginnen. Ik moet, net als bij

alle andere vrouwen die ik onbewust van me heb weggedrukt, ervoor zorgen dat jij me verlaat. Misschien heb ik altijd al begrepen dat ik nooit een echte man ben geweest, misschien heb ik jullie daarom allemaal van mij weggeduwd. Mama moet het hebben geweten. Mama moet het de hele tijd hebben begrepen en in haar strijd om mij perfect te maken, moet ze hiervan af hebben geweten. Het Kaïnsteken onder mijn navel dat ze me nooit liet zien. Dat ik onvruchtbaar was, was het enige wat ze niet kon veranderen, dus heeft ze het me nooit verteld. Ze wilde me onneembaar hebben, geslaagd, de prins der tijden en dat is precies wat ze kreeg. Ze kreeg alles en het halve koninkrijk, maar de prins was gewoon een nepprins, een grap en nu heeft hij troonsafstand gedaan. Mijn moeder heeft nooit van mij gehouden om degene die ik was en dat kan ik haar nooit vergeven. Nooit.

De prinses omhelst me en probeert de warmte van een uitgedoofde kachel over te brengen op een ijsklont die niet wil smelten. Je speelt, je speelt het goed, ik weet dat je al op weg bent ver van mij vandaan en ik begrijp je. Waarschijnlijk zou ik zelf precies hetzelfde doen.

Ik zeg, de tijd van verloochening is aangebroken: 'Je kunt me verlaten wanneer je maar wilt.'

Het is stil en jij verstijft. Een prinses die in een lijk verandert en jij keert je van mij af, geluidloos, stil, zachtjes, als een veer die kraakt in het bed. Het is alsof je niet langer bestaat. Om te verduidelijken, opnieuw: 'Wanneer je weg wilt, kun je gaan.'

Ik zal je drie keer verloochenen. Het is onbegrijpelijk, niet onvergeeflijk; ik zal je drie keer verloochenen.

Vergeef me.

Saga

K Klafsa

KLEDDEREN *met een natte klap op of tegen iets aan komen (zodat er een kleddergeluid ontstaat)*

Ik bevind me in gesloten ruimtes, ik loop van de ene ruimte naar de andere en ik wou dat er een uitweg was. Als ik via een ingang ben binnengekomen, moet die deur ook naar de andere kant opengaan. Of er moeten twee deuren zijn: één voor de architect, één voor de vertelster. Ik bevind me in gesloten ruimtes en de muren zijn zo wit dat ze me verblinden en van mijn pupillen twee zwarte stipjes maken. Met die stipjes probeer ik eruit te komen, het geheel te overzien, uitwegen te vinden, mogelijkheden te ontdekken. Er moeten een paar mogelijkheden zijn; is het leven zo niet opgezet: dat we van conflicten en problemen naar mogelijkheden en oplossingen gaan? Dat de oplossing al in het probleem besloten ligt, dat het anders geen probleem zou zijn? Het klinkt zo eenvoudig, zo lachwekkend eenvoudig en ik begin te lachen, maar in deze gesloten ruimtes wordt de lach niet verder geleid. Die wordt alleen teruggekaatst naar degene die begon: de lach komt als hoongelach weer terug en mijn pupillen worden nog kleiner. Ik ben bang dat deze gesloten ruimtes mij helemaal blind zullen maken.

De winter is weer begonnen. Ik denk dat de langste zomervakantie aller tijden, ten slotte, voorbij is. Ooit, nu langgeleden, hield ik van een man die Zacharias heette. Die man ben jij. Jij vroeg mij te fietsen en eerst hielp je mij door het stuur vast te houden en mij alle stoplichten te laten zien en hoe je die in onze stad kon ontwijken. Daarna liet je het stuur los, gaf je mij een rotanfietsmandje en daar legden we onze levens in, onze liefde, onze dorst, onze honger, onze dromen. Ik fietste rechtdoor en er viel niets uit, integendeel: de inhoud vermengde zich en ik zag hoe mijn mand groter werd, en alles wat erin zat was van ons en we droegen dat naar onze flat, die THUIS heette. Daar woonden we en jouw liefde was van mij en ik wist niet hoe ik ooit nog gelukkiger kon worden. Het was een geluk zo verterend, bijna vermoeiend, en ik leek wel iemand die onder de invloed van drugs verkeerde en die, wanneer ze andere mensen ontmoette, niet in staat was te begrijpen waar die het over hadden. Ik begreep alleen jou, alleen jouw taal, jouw geslacht, jouw armen, jouw fantastische liefde en humor en ik kon niet begrijpen waar dat allemaal vandaan kwam. Ik leefde, misschien was het alleen dat: dat ik zo vreselijk levend was.

Ik bevind mij in gesloten ruimtes. In die gesloten ruimtes ben jij ook. Jij ligt aan mijn zijde op een bed, maar in het midden van dat bed liggen scherpe scheermesjes die mij kunnen laten bloeden wanneer ik me over jou heen wil buigen. Er liggen mijnen in onze slaapkamer wanneer ik 's nachts voorzichtig opsta om te horen wie er aldoor aan het douchen is om zijn huid schoon en kaal te spoelen. Ik vind je, verlamd, met de douchekop naar je borst gekeerd, die helemaal rood is van de warmte, van de druk, van de monotonie. Je ziet mij niet, jouw ogen hebben dezelfde pupillen als de mijne en je ziet mij niet, hoewel je je rechtstreeks tot mij wendt.

'Zacharias?'

'Ja.'

'Zie je mij?'

'Ja.'

'Wat zie je?'

'Niets.'

'Je ziet mij niet?'

'Jawel. Wat ik zie is niets. Ik zie een vrouw die bestaat voor een ander, een vrouw die leeft uit medelijden. Dus zie ik niets.'

Ik wil schreeuwen zodat de muren zullen instorten, maar in deze ruimtes hoor je niets; ik heb geschreeuwd, ik weet dat. Met mijn ogen gefixeerd op het plafond adem ik, ik adem in, adem uit, in, uit, het vliegtuig stort opnieuw in zee, het gaat onder en er komt niemand meer boven om te zwemmen. Jij bent daar, in zee, jouw ogen zijn levenloos, jij bent doornat en je borst is rood en zacht van het water. Je zwemt niet, je kijkt me aan zonder me te zien en je bent niet dood. Je bent niet dood, maar ik kan niet vaststellen of je echt leeft. Ik probeer aan je te voelen, je vast te pakken, met je te praten, over je, voor je, tegen je. Maar ik weet nog steeds niet of je leeft. Het is onmogelijk vast te stellen.

Ik trek je van de ene ruimte naar de andere, ik tors je op mijn schouders, deze lange vent is een kind dat ik dubbelvouw, als een kleed, en vervolgens slinger ik dat over mijn schouder om naar een uitgang te zoeken. Een architect die een huis heeft getekend waar hij niet meer uit weet te komen – dat ben jij. Een vrouw die voor zichzelf een huis van woorden heeft gebouwd om zich te beschermen tegen het verdriet, tegen de gekte, alleen maar om te ontdekken dat ze slechts kan schrijven, niet leven – dat ben ik. Dat de woorden mij verwijderd hebben van de werkelijkheid waarin we ons tegenwoordig bevinden. Dat nu ik ze werkelijk nodig heb geen enkel woord voldoet. Dat nu we die werkelijk nodig hebben er geen deuren zijn. Ik wil iemand vragen om open te doen en ons eruit te laten. Maar als iemand ons eruit zou laten en als er tegen ons huis twee nieuwe fietsen zouden staan, dan weet ik niet of we dezelfde kant op zouden fietsen. Ik weet het niet.

Vertrouwen.

Misschien zou jij een andere weg nemen en zo hard fietsen dat ik je niet bij kon houden. Of misschien zou ik het niet eens proberen, zou ik net doen of ik je niet kon bijhouden en je een beetje vaag en onbestemd, zachtjes, naroepen: 'Wacht, wacht op mij. Ik kan je niet bijhouden.'

Maar de tegenwind zou de woorden wegblazen en misschien zou ik me van die wind bewust zijn en in plaats van harder te trappen zou ik mijn benen laten bungelen tot ik alle vaart verloren had en wanneer ik ten slotte bij een splitsing zou aankomen, zou jij geen markering, geen hulp, geen bordje hebben achtergelaten. Misschien zou ik niet eens huilen, alleen maar opgelucht zijn.

Jij zegt, kun jij dat zijn die zegt: 'Maar je kunt toch iemand anders zoeken.'

'Dat wil ik niet.'

'Jij kunt kinderen krijgen.'

'Dat wil ik niet!'

'Jawel, dat wil je wel.'

'Jawel, dat wil ik wel.'

'Dus je kunt iemand anders zoeken.'

'Maar dat wil ik toch niet, alsjeblieft, Zacharias!'

'Jawel, dat wil je wel.'

'Nee, ik zei alleen dat ik kinderen zou willen.'

'En dus ook een andere man.'

'Ik wil jou.'

'Ik besta niet meer. Je hebt op de verkeerde man gewed. Ik ben bezig te verdwijnen. Zie je niet hoe ik aan de zijkanten al begin uit te scheuren?'

'Nee. Ik zie jou. Je bestaat.'

'En?'

'Ik hou van jou.'

'Jij hield van iemand die niet meer bestaat. Er heeft echt iemand aan de deur geklopt. Niets is waar. Het was een grap, Saga.'

'Nee. Dat is niet zo. Dat wil ik niet.'

'Maar ga dan weg.'

'Ik wil je niet op deze manier horen praten. Dat wil ik niet!'

Dat kunnen wij toch niet zijn die praten, dat kan toch niet? Wij zijn het die praten, iedere dag, ieder moment, iedere nacht, maar we praten zonder woorden en dat is nog erger, dat is verschrikkelijk en we durven onze mond niet open te doen om iets te zeggen, alleen brokstukken van gedachten komen eruit en ik trek jou de douche uit, droog je jongenslichaam af dat zo wonderlijk futloos aandoet en ik zeg: 'Niet meer douchen.'

'Nee. Ik was de tijd een beetje vergeten.'

'Dat geeft niets. Dat is goed.'

Ik glimlach naar je: 'Ik hou van je.'

'Ik ook van jou.'

Het klinkt als een pingpongwedstrijd en onze hoofden zijn net zo leeg als de ballen waarmee we spelen. Leeg en hard. Soms eten we samen: 'Nog wat salade?'

'Dat zou er wel ingaan.'

'Lekker.'

'Vind je?'

'Ja. Nog wat salade?'

'Dat zou er wel ingaan.'

'Nietwaar?'

Het echoot in ons huis, waarvan het bordje THUIS pathetisch is, altijd al is geweest. Ik vergeet, ik veroordeel, ik zwijg. We lopen in elkaars voetsporen om geen krassen te maken in het parket. We dansen zonder muziek, we komen er niet uit, we gaan niet uit. We leven zonder te kunnen ademhalen. Kun je dat leven noemen?

Ik kan je niet verlaten.

's Nachts baar ik een kind. Eén kind, twee, drie, duizend kinderen vallen uit mijn schoot die voortdurend bloedt en ik ben de vruchtbaarste vrouw van de wereld: ik baar, ik word keer op keer geboren. Iedere nacht breng ik alle kinderen van de wereld ter wereld, uit mijn baarmoeder die steeds groter wordt en ik word wakker met mijn handen tussen mijn benen, alsof ik het wil tegenhouden, alsof ik die vloed van kinderen die iedere nacht uit mij stroomt, wil stoppen.

Uit mijn borsten loopt melk, er gutst melk; mijn kinderen kunnen niet alles opdrinken, dus jij drinkt mijn melk omdat je niet meer naar buiten gaat en ik schreeuw, ik word wakker van mijn eigen schreeuw: 'Nee! Niet nog meer! Ik kan niet meer.'

En ik word wakker en leg instinctief mijn hand op mijn buik om de grootte te controleren. Hij is plat. Mijn borsten zijn klein en stevig. Tussen mijn benen is het een beetje vochtig, maar het is geen bloed. Geen jij, geen spoor van jou. Ik weet niet meer wanneer jij voor het laatst in mij was. Ik kan je niet verlaten.

Wanneer ik een kind krijg, noem ik hem... Wanneer ik een kind krijg, noem ik haar...

Ik zie de ogen van mijn kind, ik voel de vingers, het ongeboren lichaam tegen dat van mij en ik pak mijn witte ijsbeer als bescherming tegen het verdriet. De ijsbeer ademt, ijskoud tegen mijn huid, maar hij leeft in elk geval.

Ik kan je niet verlaten.

Vertrouwen?

'Ik kan niet.'

Of wel?

L Lycka

LODEN *(met een loodje) verzegelen, afsluiten (zodat niemand toegang heeft)*

We gaan naar buiten. We moeten naar buiten. We moeten bewegen, het is toch zo dat je niet kunt leven als je niet beweegt. Zo gaan oude mensen ook dood. Die bewegen niet, de jaren verstrijken, hun gewrichten vergroeien en ze krijgen doorligwonden, vleeswonden – en daarna gaan ze dood. Als iemand hen aanraakt, probeert hen aan te raken, hen kust, hen omhelst, dan beginnen ze te huilen, ze trillen omdat het zo lang geleden is dat ze werden aangeraakt. Ze huilen van de fysieke gevoeligheid, net zoals ik zo vaak huilde wanneer jij en ik gevreeën hadden. Wanneer de gevoeligheid de overhand nam, wanneer het te veel werd.

Het is te veel geworden. We moeten verder leven en we gaan verder, de trap van onze flat af en de straat op, waar de mensen zo rennen dat we moeten oppassen waar we onze voeten neerzetten zodat er niemand onder de voet wordt gelopen. Ik wist niet dat de wereld weer zo'n pijn kon doen, dat alles zich herhaalt en dat eigenlijk niets voorbijgaat. Alleen onze blik verandert, onze manier om de wereld te bekijken. Ik dacht dat de jaren van geluk en liefde met jou ervoor gezorgd hadden dat de wereld nooit meer hetzelfde kon worden. Ik dacht dat alles voor altijd anders zou smaken, ruiken, lijken. Ik dacht dat niets meer echt eng kon zijn. Dat is niet zo. Alles is hetzelfde, precies zoals op de dag waarop Felicia bij Britt voor de deur stond te huilen en we mijn koffer pakten om het huis te verlaten dat tien jaar mijn burcht was geweest.

Hoe kun je vergeven?

Ik had geen huid, geen haar, geen kleding, geen make-up, geen geur, geen vertrouwen. Zo kwam ik naar buiten en Felicia mocht me aankleden, aangorden, me alles leren vanaf het begin. In het huis van Britt was ijdelheid verboden, want dat zou verhinderen dat wij vrouwen van betekenis werden, en weggewreven mascara werd met diverse ingenieuze manoeuvres bestraft. Voor ons eigen bestwil. Zodat we ons 'van onze waarde als vrouw bewust zouden zijn zonder dat we vrouwelijke attributen hoefden te gebruiken die ons intellect alleen maar naar beneden haalden'. Huidloos was ik, naakt. Ik deed wat Britt zei, ik deed altijd wat ze zei en toen Felicia verdween, was ik het met haar eens dat dat mooi was, dat het nu rustig was, dat het zo het beste was. Ik kon het niet opbrengen alles opnieuw te verliezen. Felicia vroeg me, smeekte me om deel van haar wereld te worden en dat kon ik niet goed, ik wist de weg niet, en ik schreef en probeerde de wereld daardoor beter te begrijpen. Ik schiep voor mezelf een platform in een golvende zee en ik hield me drijvend en liefdeloos, tot jij kwam en alles betekenis kreeg, de betekenis die wij eraan gaven. Zo was het toch?

Maar het geluk was niet toereikend. En de woorden waren niet toereikend. Ik heb niets begrepen, niets gedaan, er is niets over behalve koude handen, gesloten ruimtes en bladzijden vol met een alfabet dat alle mensen kennen; het gaat er alleen om de structuur, de sleutel te vinden. Ik dacht dat ik de sleutel had gevonden tot een eigen kamer, een eigen leven, een eigen Thuis, waarin zowel de woorden, het geluk als jij konden wonen. Dat was niet zo. En nu ben ik hier, een vertelster die dacht dat het verhaal van haarzelf was, hoewel ze het de hele tijd te leen had, er een tijdschakelaar op het geluk zat en de tijd nu om is. Het had een verhaal over geluk moeten worden en hier zit ik met koude handen en ik durf de jouwe niet meer te verwarmen. Felicia, help me! Haal me op, neem me mee naar het huis waar ik met Bea tussen mijn borsten mag zitten en nooit meer wakker hoef te worden. Felicia, ik ben weer huidloos, beknot, heb geen vertrouwen! Help mij.

Ik droom. In plaats daarvan droom ik.

Hij heet Effe. Hij is lang en heeft een kleur haar die ik me niet meer kan herinneren, hij heeft ogen en hij heeft in de mijne gekeken en hij is een man die van me heeft gehouden, de enige man vóór jou, en hij woont tegenwoordig in Parijs; dat is het beste. Tijdens een herfst zijn we uit elkaar gegaan, het regende niet en het was ook niet dramatisch. Ik zei dat ik van hem hield, misschien deed ik dat ook wel, maar mijn lichaam zat vol woorden die ik kwijt wilde, dus ik gooide ze eruit, terwijl ik tegelijkertijd niemand tot mij toeliet, want ik koesterde het Grote Verdriet aan mijn borst. Daar leefde ik van, daar schreef ik over, dat herschreef ik en daarna beleefde ik het opnieuw. Hij wilde het leven leven, het niet vertellen, en dat realiseerde hij zich al snel, maar toch hield hij van mij, omdat ik was wat hij niet was. Hij zag mijn lichaam, dat net als een oude vrouw in snikken kon uitbarsten wanneer hij mij aanraakte. Tweeëntwintig jaar totale onthouding hadden ervoor gezorgd dat mijn lichaam net een gespannen boog was, helemaal strak, die je naar alle kanten moest buigen wilde er iets gebeuren. En wanneer het gebeurde was hij bereid mij op te vangen, zich schrap te zetten wanneer de tranen kwamen, mij bij elkaar te vegen en dan te zeggen: 'Het is goed. Het maakt mij niet uit dat je huilt. Het zijn jouw tranen, jouw verdriet en jij bent degene die daarmee moet leven, maar je kunt een poosje rusten aan mijn zijde.'

Hij schiep nooit mythes over de liefde en dat voorkwam dat ik me aan leugens vasthield, naar leugens verlangde. Het was enorm aseksueel, en toch vol seks en liefde, maar op een dag was het voorbij en keerde hij terug naar Parijs waar hij vandaan kwam.

Ik vroeg: 'We zien elkaar niet weer?'

'Ik denk het niet. We zouden er rampzalig slecht in zijn om met elkaar te leven. Ik zou het nooit met je volhouden en ik zou je verstikken. Maar dat betekent niet dat ik je niet graag mag.'

'Dat weet ik.'

'Als jij daar behoefte aan hebt, wil ik best behoefte aan jou hebben. Ik vrij graag met je, duizenden keren opnieuw.'

'Dat weet ik.'

'Maar verder is er niets. 's Ochtends, iedere ochtend is het voorbij en het kan niet opnieuw beginnen.'

'Maar je houdt toch veel van mij.'

'Ja.'

Het was waarschijnlijk gecompliceerd en ongecompliceerd en de tijd verstreek en hij was verdwenen; hij heette Ebrahim maar werd Effe genoemd. Behalve Zacharias is hij de enige man met wie ik heb gevreeën. Nu lopen jij en ik naast elkaar, even stevig met elkaar verbonden als een oeroud paar met zes kinderen en achttien kleinkinderen. Maar dat hebben wij allemaal niet. Wij hebben alleen een droom, een nachtmerrie, waaruit we geen van beiden durven te ontwaken en ik weet niet hoe dit moet aflopen. Ik weet het echt niet.

We praten: 'Hoe gaat het met je sollicitaties?'

'Redelijk goed. Binnenkort zal het probleem wel opgelost zijn.'

'Binnenkort?'

'Binnenkort. En hoe gaat het met jou?'

'Ik weet het niet. Een beetje moeizaam. Ik zit vast. Ik weet niet waarom.'

'Nee, dat weet je niet.'

Dat weet je niet? We weten niet waarom we vastzitten, dus we praten er niet over. Wanneer we 's avonds thuiskomen en ik ons bed zie – de betekenis daarvan – huil ik. Ik huil tegen jouw gesloten rug en jij zegt niets, jij huilt niet en jij verroert je niet. We sluipen rond in gesloten ruimtes.

'Het is niet jouw fout. Jij hebt niets gedaan', zeg jij.

'Het is niemands fout.'

'Nee, misschien is dat het wel. Dat het niemands fout is, dat alles gewoon gebeurt en wij staan toe te kijken, stom en slap, en de hele tijd dat besef: God is sterker dan ik.'

'Je klinkt bitter.'

'Ik ben moe. Zo moe.'

'Ik ook.'

'Je kunt weggaan, Saga.'

'Dat wil ik niet! Hoor je dat niet?'

'Jawel. Dat hoor ik wel. Sorry.'

We liggen doodstil en jij keert je naar mij toe en vraagt: 'Kun je je iemand anders voorstellen?'

'Alsjeblieft.'

'Ik vraag dat voor ons.'

'Nee.'

'Weet je dat absoluut zeker?'

‘Ja.’

‘Maar de man met wie je was voordat je mij leerde kennen? Over wie je het hebt gehad?’

‘Effe.’

‘Effe. Zou je met hem kunnen leven?’

‘Alsjeblieft, hou op!’

‘Zou je dat kunnen?’

‘Zacharias. Ik kan dit niet aan. Alsjeblieft.’

‘Sorry. Ik heb het beste met je voor.’

Jij hebt het beste met me voor? Jij wilt mij weg hebben, jij wilt mij hier zo ver mogelijk vandaan hebben zodat je je verdriet voor jezelf hebt, zodat je je daarin kunt onderdompelen, zodat ik hier niet kan zijn om je eraan te herinneren dat het leven verdergaat en jou er ook bij wil hebben. Jij wilt daar niet aan herinnerd worden, jij wilt vergeten worden en ergens haat je mij omdat ik je niet vergeet. Jij denkt dat je voor mij verantwoordelijk bent, dat je alles onder controle hebt en om die reden kan ik je haten. Je haten.

‘Lieve Zacharias?’

‘Ja.’

‘Kunnen we het niet vergeten? Kunnen we niet verdergaan waar we waren gebleven? Waar we waren gebleven met elkaar?’

‘Geloof jij daarin?’

‘We moeten wel. Ik wil dat we het proberen.’

Je zwijgt en zelfs de stilte echoot, je ademt zwaar en zoekt mijn hand, die net zo kil is als de jouwe. Je pakt hem en legt hem op het dekbed, alsof je verbaasd bent dat hij er de hele tijd al was. Je zegt, zonder enige betrokkenheid: ‘Er bestaat adoptie.’

‘Ja.’

'Misschien is dat wat?'

'Ja. Misschien wel.'

'Daar houden we het dan op.'

We bezegelen ons leven, we ontbinden ons leven en ik weet niet welke kant dit op gaat. Ik leg mijn hand tegen jouw schouder, beweeg die een beetje.

Jij zegt weer: 'Ik ben moe.'

'Dat weet ik. Ik wil dat we op reis gaan.'

'Op reis?'

'Ik wil dat we weggaan. We nemen Urban mee naar Frankrijk en dan blijven we daar tot we uit dit slaapwandelaarsbestaan zijn gekomen. Daarna komen we naar huis en beginnen we weer opnieuw.'

'Als jij dat wilt.'

'Ik wil dat. Dat is wat ik echt wil. Het moet kunnen.'

'Jawel.'

'We gaan op reis, Zacharias.'

En ik val in een slaap die een dagdroom is, een nachtdroom, een nachtmerrie, alles tegelijk. In mijn hoofd zie ik flarden van woorden die aan mijn slaap voorbijtrekken, flarden van computeruitdraaien waarop mijn eigen woorden staan, maar ik kan ze niet lezen, ik kan ze niet verstaan. Mijn woorden missen betekenis en ik volg de woorden met mijn blik, met mijn vinger, maar ze betekenen niets. Het enige wat ik kan lezen, de enige letters die ik kan onderscheiden, het enige wat ik kan begrijpen is dit: EFFE. Iedere keer weer, voor mijn ogen: EFFE.

Het is een opluchting, het is een opgave. Het doet pijn, het doet goed.

Effe.

Hoe moet je vergeven?

M Man

MAN *volwassen mens van het mannelijk geslacht; echtgenoot*

Ik bak, ik zorg, ik ben aan het tutten, ik ben aan het inrichten, ik doe boodschappen, ik gooi dingen weg, ik koop nieuwe dingen, ik was af, ik zeef, ik brouw, ik bouw een nieuw thuis voor ons. Mijn vrienden vragen: 'Hoe hou je het vol?'

'Hoe ik het volhou?'

'Hoe kun je zo aantutten?'

'Ik weet het niet. Het is net therapie, het is leuk. Het is gezellig, ik vind het prettig. Het is fijn als er een verse baklucht hangt wanneer Zacharias thuiskomt. Dat maakt hem blij.'

'Hém blij?'

'Ja. Is dat niet belangrijk?'

Geloof me: ik weet niet waar ik mee bezig ben. Ik verstik ons met al dat zorgen van me en ik weet dat de boel op een dag zal exploderen. Niemand weet dat Zacharias onvruchtbaar is, dat wil hij niet. Ik begrijp hem. Ik begrijp hem niet. Niemand weet iets en ik kan niet leven met die stilte, die leegte die ik dag na dag probeer te vullen met brood bakken, schoonmaken, lappen en oplappen. Ik lap onze liefde op die in stukken uiteenvalt en iedere dag veeg ik de scherven bij elkaar en begin ik opnieuw. Ik ben de vrouw-die-er-is-voor-anderen.

'Hoe hou je het vol?'

'Het is leuk!'

Leuk? Ik spreid zelfgeweven kleden uit in onze flat, zodat we onszelf niet openhalen. Ik smeer broodjes die dampen, zodat je mij niet goed kunt zien, naakt aan de andere kant van de tafel, naakt onder net zo'n ochtendjas als je moeder ooit moet hebben gehad. Versleten, kapot, landerig en vernederd, een ochtendjas die een avondjas wordt, een nachtjas, een jas die vanzelf staat en gaat, en ik rol me er iedere ochtend in om de scherven op te vegen en dampend brood te bakken voor jou, wanneer jij van een van je tijdelijke baantjes thuiskomt. Geen van ons beiden leeft.

Ik ben zo flink dat ik er 's ochtends voor de spiegel, wanneer jij bent vertrokken, verbijsterd over ben. Ik ben met verbijstering geslagen, als een vraagteken sta ik voor de spiegel: iemand die de splinters lijmt en plakt van het fantastische geluk dat zo teer was dat het door de minste geringste windvlaag in stukken werd geslagen. Waarom plak ik? Waarom lijm ik? Ik durf niets anders. Zo bang voor het leven vóór jou, voor de jaren waarin ik met de studiegids van Felicia voor me zat en probeerde een studie te vinden die me in de juiste richting zou leiden, zo bang voor woorden die een levende dode aan de gang hielden, zo bang ben ik, dat ik liever een puzzel plak waarvan alle essentiële stukjes ontbreken. Liever een onvolledige puzzel dan opnieuw chaos. Ik weet niet of ik er goed aan doe, dat doet er niet toe; ik handel gewoon zo.

Ik zit tegenover Felicia. Bea zit zoals altijd bij mij op schoot en haar enorme en verbaasde ogen zijn op de mijne gefixeerd alsof ze wil vragen: 'Vertel me. Is dat nou volwassen zijn?'

En ik wil antwoorden: 'Nee. Zo is het niet. Helemaal niet.'

In plaats daarvan huil ik. Ik huil en Felicia zucht opgelucht en laat me huilen, terwijl ze thee zet en mij een zakdoek geeft. Ik huil nog een beetje, daarna kijk ik naar haar op en lach.

'Ben je nu tevreden?'

'Tevreden?'

'Ja. Eindelijk huil ik weer. Eindelijk mag je voor me zorgen.'

Ze schudt haar hoofd, haalt een nieuwe zakdoek tevoorschijn, spuugt daarop en ontdoet mijn wangen van speeksel en snot.

'Dat deed papa altijd bij mij', zegt ze. 'Ik vond het vreselijk.'

'Ik kan het me niet herinneren.'

'Nee, maar ik wel.'

'Is het beter om je dingen te herinneren?'

'Ja, want ik maak duidelijker keuzes. Ik zie ook hun zwakheden, ik herinner me hun ruzies, hun kinderachtigheid, hun onbegrip.'

'Ruzies?'

'Ja. Natuurlijk maakten ze ruzie. Weet je dat niet meer?'

'Nee.'

'Schat? Saga? Soms ben ik zo gelukkig dat ik niet in jouw hoofd zit en soms wou ik zo graag dat ik daarin mocht zitten.'

'Wanneer dan?'

'Wanneer je je fantasie gebruikt, wanneer je schrijft over de chaos die ons leven is geweest.'

'Ik schrijf daar niet over, ik *herschrijf* dat.'

'Dat weet ik. Maar toch: je maakt er iets van. Je hebt woorden gevonden en dan is het allemaal niet zo pijnlijk meer.'

'Tot nu.'

Ze zwijgt. Ze pakt mijn hand en zegt: 'De waarheid is pijnlijk. Nu komt er nog een waarheid: ik ben niet gelukkig over het feit dat jij ongelukkig bent. Voor jou zorgen is niet mijn droom. Toen je verkering kreeg met Zacharias, was ik opgelucht dat ik dat niet meer hoefde. Spreek me tegen als je wilt, maar vanaf de dag dat ik je uit Britts huis heb weggehaald waar noch jij noch ik thuishoorde, heb je je leven in mijn handen gelegd. Je ging van een dood thuis, naar een nog levenlozer thuis en het was de bedoeling dat je een thuis voor jezelf zou scheppen, maar dat redde je niet. Vraag me niet waarom niet. Je redde het niet en ik kreeg zulke gewetenswroeging over het feit dat het misschien mijn schuld was, dat ik je bij Britt had moeten laten blijven, dat ik egoïstisch was dat ik je bij me wilde hebben.'

'Je was niet egoïstisch. Ik verlangde ook naar jou. Maar ik leek wel verlamd.'

'Ik was niet verlamd. Ik verlangde er zo naar een eigen leven te scheppen, een eigen gezin te stichten, een eigen waarde op te bouwen. Een leven dat niet perfect is en waarin ik geen perfecte man heb, omdat de wereld die godzijdank niet kent.'

'En Zacharias en ik?'

'Jullie leven in een droom over het idyllisch betekenisvolle leven, de droom over de westerse liefde en ik heb toegekeken: ontzet en gefascineerd tegelijk. Jullie waren verschrikkelijk gelukkig en soms was ik jaloers, zoals ik jaloers was op je woorden. Maar ik leef, ik leef in de werkelijkheid waar Zacharias noch jij iets van willen weten. Jullie wilden een perfect leven scheppen en dat bestaat niet.'

'Ik wilde dat niet.'

'Misschien niet. Maar je hebt jouw leven opnieuw in de handen van een ander gelegd.'

'Is dat zo?'

'Ik denk van wel. En nu het geluk is verdwenen, zoals jullie dat noemen, weten jullie allebei niet wat je moet doen en zien jullie het hele leven als een mislukking in plaats van als een begin, en jij probeert het weer aan elkaar te lijmen en dat heeft helemaal geen zin. Alsjeblieft, huil niet weer, Saga. Jawel, doe dat trouwens maar wel.'

'Ik huil niet', zeg ik, terwijl ik mijn tranen wegveeg met mijn tong als ze in de richting van mijn mond rollen. 'Ik haal alleen maar adem. Felicia, wat moet ik doen?'

'Vraag je dat aan mij?'

'Ja.'

'Dat is verkeerd.'

'Dat weet ik.'

'Ik kan je niet helpen.'

'Felicia!'

Ze zucht. Ze kijkt me aan met ogen die op die van mijn moeder lijken, ze is tegelijkertijd geïrriteerd en verdrietig en het is alsof ze een boek voor zich heeft waarin alle wijsheid van het leven staat en als ze kon zou ze dat voor mij vertalen, maar helaas heb ik niet de beschikking over een taal. Ik heb geen sleutels meer van het alfabet, ik ben leeg, de woorden zijn op.

'Kun je je een leven zonder kinderen voorstellen?' vraagt Felicia.

'Ja.'

'Maar wil je dat?'

'Nee.'

'Ben je van plan daar iets aan te doen? Is er iemand anders die dat voor jullie kan regelen?'

'Ik weet het niet. Ik weet niets over zulke dingen.'

'Hou op met medelijden met jezelf te hebben! Wat wil je dan doen?'

'We gaan op reis. Misschien dat we dan nader tot elkaar komen.'

'Op vakantie?'

'Ja.'

'Denk je dat?'

'Ik weet het niet, Felicia!'

'Nee. En dan?'

'Daarna zal ik het oplossen.'

'Hoe?'

'Door hem te bereiken. Door vertrouwen. Door te begrijpen wat er met hem is gebeurd.'

'Misschien is er niets gebeurd?'

'Nee. Maar dan wil ik dat niets begrijpen.'

'Waarom dan?'

'Hij vergeeft niets, zichzelf nog het allerminst, en daarom zal hij het mij nooit vergeven dat ik hem steeds aan zijn falen herinner. We hadden een taal voor ons geluk. Nu wil ik er een vinden voor ons verdriet. Ik denk dat we de wereld opnieuw aan elkaar moeten uitleggen.'

Felicia zwijgt en schudt haar hoofd.

'Kun je hem niet verlaten?'

'Nee.'

'Waarom niet?'

'Eén woord maakt dat onmogelijk.'

's Avonds hebben we een etentje. Felicia en ik hebben de maaltijd bereid en we zitten met tien personen rond een tafel die doorbuigt onder voedsel, drank, gelach, woorden en gedachten. Jij bent nieuw, jij bent oud, jij zit aan mijn zijde en jij bent dezelfde Zacharias die mijn ogen zag toen ik de eerste keer naakt in jouw bed ging liggen, dezelfde Zacharias die kapitein speelde onder de computer. Je bent dezelfde en je bent heel iemand anders. Hoe kunnen deze beide mannen in dezelfde persoon huizen? Waar tussen alle rotzooi die jij bent moet ik de echte Zacharias vinden?

'En toen zei ik tegen hem: geef een ander de schuld. Dat doe ik ook altijd.'

Iedereen lacht. Dit is één van je grappen die ik ken, die ik al zo vaak heb gehoord maar waar ik toch om moet lachen. Je bent je gevoel voor humor nog niet kwijt en je glimlacht naar mij en mijn hart bonst en ik wil zo graag dat we naar huis gaan om met elkaar te vrijen, maar ik durf je niets te vragen, niets te verzoeken. Iemand vraagt je om het zout. Jij zegt, naar mij toegekeerd: 'Kun je het zout even doorgeven?'

'Sorry?'

'Ja, jíj. Hoe heet je ook alweer? Kun je het zout even doorgeven', zeg je, terwijl je lacht met totaal uitdrukkingsloze ogen.

Sommigen lachen met je mee. Felicia kijkt een andere kant op. Weer een grap. Ik kijk naar je, ik ben warm vanbinnen, ik kook, ik haat je, ik heb nog nooit iemand zo gehaat als ik jou haat. Ik haat je meer dan alle keren bij elkaar dat ik Britt heb gehaat. Je vindt jezelf zo verschrikkelijk zielig dat ik van je walg. Je verloochent mij keer op keer en je merkt het niet eens. Ik loop naar de keuken en ik schaam me en ik leg mijn handen tegen mijn wangen en ik adem in, ik adem uit en ik denk, keer op keer: je kunt iemand van wie je houdt niet haten. Je mag iemand van wie je houdt niet schoppen.

Op weg naar het toilet, in de donkere hal, hoor ik achter de jassen jouw stem. Het telefoonsnoer zit om je lichaam gedraaid en je staat in de jassen geleund zodat we niet zullen horen wat je zegt: 'Het is voorbij. Ja, zo goed als. Jazeker, we wonen nog samen, maar het is een kwestie van tijd voordat dat voorbij is.'

Een kwestie van tijd.

'Of ik dat wil? Misschien niet echt, maar dit verstikt me en ik denk dat zij met een ander gelukkiger wordt.'

Gelukkiger.

'Ja, ze houdt van kinderen. Ze zal er wel voor zorgen dat ze die met iemand anders krijgt.'

Houdt van kinderen?

'Inderdaad, we gaan binnenkort op vakantie. Een zogenaamde herstelvakantie. Maar het is voorbij. Voordat we überhaupt in de auto gaan zitten, is het voorbij. Maar we spelen onze rollen. We spelen onze rollen goed.'

Ik wikkel een jas om mijn hoofd. Ik wil het niet horen, ik moet het horen. Ik ben ontkleed, ik ben naakt en ik ben tot niets gemaakt. Ik ben gereduceerd tot een telefoongesprek met een van je vrienden, die jou alleen maar leuk vinden als je grappig bent. Je hebt besloten weer grappig te worden en nu is de tijd verstreken en is er voor mij geen plaats meer. Je drukt mij opzij. Je zegt: 'Hoe heette je ook alweer?'

Zodat ik je niet kan kwetsen, zodat je je mijn naam niet eens zult hoeven te herinneren. Ik hoor je zeggen, door de wol: 'Ik ben wreed. Ik weet het. Maar hoe moet ik het anders volhouden?'

Ik wil schreeuwen, maar ik zak neer op de vloerbedekking van de hal. Ik zit opgesloten onder jassen en schoenen en ik wil geen uitweg vinden, ik wil niet gevonden worden, niet getroost worden, niet bemind worden, niet geloofd worden. Keer op keer fluister ik: 'Praat met me.'

En daarna: 'Ik besta.'

Maar te midden van dat alles: een verschrikkelijke woede.

N Nåd

GENADE *1. Gods liefde, barmhartigheid etc. 2. goedertierenheid, mededogen; genade vinden in iemands ogen, geaccepteerd worden*

Jullie weten van de winter. Een lange zwarte winter die tien jaar van mijn leven opslokte. Ik wilde zo graag de duisternis uitrennen, zo het licht in, zoals ik aan het begin van de zomervakantie deed. Maar ik ben bang dat de winter weer begonnen is en dat we leven in een duisternis waar geen zomerlicht, zelfs het Scandinavische niet, doorheen kan breken. Het Scandinavische licht kan ons niet bereiken, het probeert de deur op een kier te zetten, maar die hebben we gebarricadeerd met onze ideeën over het perfecte leven en we hebben de grendel er stevig voor geschoven, want we denken dat duisternis het kwaad in ons leven kan verbergen en dat licht alleen maar hinderlijk zou zijn.

'Hoe heette je ook alweer?'

Ik ben verdrongen, ik ben verwisseld, ik ben verraden en opnieuw verloochend en ik weet niet eens of ik iets heb gedaan om dat te voorkomen. Ik leef in totale stilstand en laat jou tekeergaan in mijn leven. Ik gedraag me als een verlamde die geen rolstoel wil gebruiken. We helpen elkaar Urban in te pakken voor onze zogenoemde herstelvakantie. We hebben een extra tank benzine bij ons, bahco's voor onze technische gevechten, speelgoed voor ons lichaam, boeken voor onze ziel, muziek voor ons verstand. Urban staat stralend geel en startklaar voor ons portiek en de enige die zin lijkt te hebben om op reis te gaan, dat is hij.

Felicia staat met Zacharias te praten. Ik vraag me af wat ze zegt, ik vraag me af of ze vraagt waar jij mee bezig bent, waarom je zo gemeen bent. Opeens besef ik dat ik bang voor je ben, dat ik je er zelf niet naar durf te vragen, niet met je durf te vrijen, geen vraagtekens durf te plaatsen, geen dingen durf te eisen, jou niet durf te vragen om te vertellen, zelf niet durf te vertellen over mijn gekrenkte trots, niet tegen je durf te schreeuwen, je niet durf te slaan. Ik doe niets van dat alles; ik loop rond in een oude ochtendjas waarvan de rug versierd is met letters. Op de rug staat niet KAMPIOEN; er staat met heel grote letters: OPOFFERING. Ik heb me voor jou opgeofferd, voor een woord waarvan ik de inhoud niet eens begrijp. Ik offer me op zoals zo veel andere vrouwen al duizenden jaren doen, tot ze verlaten worden, eenzaam zijn en er van degenen voor wie ze zich hebben OPGEOFFERD niemand op bezoek komt. Ze zitten daar alleen met hun fantastische OPOFFERING en niemand is dankbaar, niemand houdt van hen, hooguit heeft men medelijden met hen. De kinderen van de opofferende moeder zien haar verbittering, haar ochtendjas die ruikt naar bedompte kookluchtjes en ze zouden zo graag willen zeggen: 'Het is niet kwaad bedoeld, maar we hebben er nooit om gevraagd dat je je zou opofferen. We waren veel gelukkiger geworden als je gewoon wat meer voor jezelf had geleefd. Als je had gezegd: "ik eerst" en "ik kan" en "ik wil". Als je een eigen leven voor jezelf had geschapen dat je de kracht had gegeven om iemand te worden met zelfvertrouwen en een eigen motor.

Iemand die van anderen kan houden zonder eisen te stellen. Je hebt voor ons geleefd, door ons, en nu zijn we verdwenen en we willen niet meer dat je dóór ons leeft en nu is er niets meer over, alleen nog één woord met grote letters, en het enige wat wij je te bieden hebben is genade. Genade.'

En toch ga ik door. Ik merk dat de manier waarop je naar me kijkt veranderd is. Je fronst je voorhoofd op dezelfde manier als wanneer je je moeder aan de telefoon hebt. Wanneer ik je hulp bij iets inroep heb je dezelfde, licht superieure trek. Je kijkt altijd alsof je liever de culturele bijlage zou willen lezen dan met mij praten. Jouw blik is op de luxaflex gericht wanneer ik je 's nachts probeer te kussen en je schudt mijn liefkozingen geïrriteerd af, als een hond die na een bad het water afschudt. Alles laat je van je afglijden en ik ren met een gieter tussen de put en jou heen en weer, in een tempo dat de neiging heeft steeds wanhopiger te worden, steeds hysterischer.

Hoe kun je vergeven?

'We vertrekken!' roep ik naar jou, terwijl je naast Felicia staat met haar hand in de jouwe. Ze kijkt naar jou en ze kijkt naar mij en ik herinner me haar woorden: 'Dit is een fase tussen A en Ö, waar je gewoon doorheen moet. Daarna is het voorbij, daarna ben je vrij.'

Ik kan me herinneren dat ik vroeg: 'Maar dan is het alfabet toch op?'

Ik kan me niet herinneren wat ze antwoordde, maar ergens vermoed ik een eigen antwoord: 'Misschien begint het dan wel, aan de andere kant van de voorspelbare taal. Misschien kan het dan wel opnieuw beginnen, wanneer je de taal begint te gebruiken met de behoedzaamheid waarmee de mensen dat aan het begin der tijden moeten hebben gedaan. In een tijd waarin "schoen" "schoen" betekende, en "geluk" "geluk". Misschien begint het opnieuw wanneer de perfecte taal allang is begraven.'

Ik heb mijn taal gezocht via ontelbare personages, via ontelbare bladzijden, via ontelbare zowel fictieve als werkelijke verhoudingen. Ik heb binnen de woorden naar de waarheid gezocht, maar nooit erbuiten. Ik heb gezocht naar woorden voor verdriet, ik heb gezocht naar woorden voor geluk, *maar nooit naar een gemeenschappelijke taal voor allebei.* Ik heb geprobeerd te begrijpen door rechtstreeks door mijn leven heen te schrijven, laag voor laag, om te zien wat ik daar zou aantreffen en de enige Saga die ik nu zie, is een jonge vrouw in een versleten ochtendjas met grote letters op haar rug. Verder niets. Ik ben nooit de vrouw van betekenis geworden die Britt wilde, nooit de ster die mama zag, nooit de gelukkige persoon die jij wilde hebben. Ik ben een verbitterde jonge vrouw geworden, die iedere ochtend na de nachtmerries van de nacht vaststelt dat haar buik plat is en dat het leven haar kinderloos, nutteloos en zonder vertrouwen heeft achtergelaten. En ze heeft niets gedaan om dat te voorkomen. Het is geen mooi plaatje en daarom wil ik geen Scandinavisch licht in mijn ziel. Dat zou zo sterk stralen en ik ben bang verblind te worden en dat ben jij kennelijk ook, want je draagt altijd een donkere zonnebril.

We gaan in de auto zitten en jij bestuurt de auto die mijn vader ooit bestuurde, met mijn moeders hand vast verankerd in de zijne. Misschien is vertrouwen besmettelijk, misschien zit het nog in de bekleding? Ik pak je hand en je blijft die vasthouden tot je moet schakelen en je kijkt me niet aan. Jij bent stilte, jij bent een muur, jij bent droge ogen en droge opmerkingen die ritselen wanneer je praat. Ik wou dat ook ik kon zeggen, zoals jij hebt gezegd: 'Hoe heette je ook alweer?'

Maar mijn ochtendjas maakt dat onmogelijk, hij schuurt zo tegen de zitting. Jij zegt: 'Pak je de kaart even?'

Ik pak de kaart en ik vouw een land uit waarop FRANKRIJK staat. Het is groot en bijna rechthoekig, ik zet mijn vinger in het midden waar een stad ligt die PARIJS heet waar een man woont die Effe heet en van wie ik weet dat ik met hem kan vrijen, maar niet moet vrijen. Ik zit met een uitgevouwen kaart op schoot, precies op dezelfde manier als die keer toen Felicia mij een kaart had gegeven toen ik op achttienjarige leeftijd op een plein stond met duiven voor me en een gesloten deur achter mijn rug. Ik ben nu even verward als toen en ik denk aan je woorden, ontsproten aan onze allereerste liefde: 'Je kunt schrijven, maar kun je ook leven?'

Ik weet niet wat voor antwoord ik gaf en vandaag de dag weet ik nog steeds niet wat ik op die vraag moet antwoorden. Jij zegt, met je blik gericht op de Zweedse snelweg, met bos voor de voorruit en rode huisjes die als vraagtekens in de marge opduiken: 'Ik had gedacht dat we eerst naar de noordkust van Frankrijk zouden gaan, naar Normandië. Daar heb je verschillende dorpjes, heb ik gehoord, met mooie rotsen die steil in zee aflopen.'

'Je klinkt als iemand van een reisbureau.'

Je lacht.

'Dat ben ik ook. Ik ben net bezig jou de reis van je leven te verkopen.'

Ik lach ook en zeg in één adem: 'Heb je met je moeder gepraat?'

'Nee.'

'Waarom niet?'

'Ik kan het niet opbrengen haar te zien. Ik ben niet van plan opnieuw met haar te gaan praten, nu niet, en misschien wel nooit meer.'

'En je vader?'

'Dat zou zinloos zijn. We hebben elkaar niets te zeggen. Ik hoef mama trouwens toch niets te vertellen; zij heeft het immers altijd al geweten.'

'Maar waarom heeft ze niets gezegd?'

'Ik weet het niet. Misschien omdat ze me ergens in haar greep wilde houden, misschien omdat de gedachte aan een kinderloze zoon niet het toonbeeld van een geslaagde man was. En ze wilde een geslaagde man.'

'Een geslaagde zóón.'

'Ja. Precies.'

'Maar dat heeft ze toch ook gekregen.'

'Ja. Daar heb ik aan meegewerkt. Misschien had ik mijn leven anders geleefd als ik van mijn onvermogen had geweten.'

'Hoe dan?'

'Had ik meer risico's genomen. De dag genomen zoals hij komt. Geen rekening gehouden met een gezin. En had ik jou op tijd gewaarschuwd.'

'Op tijd?'

'Ja. Ik bedoel dat het goed was geweest als jij het vanaf het begin had geweten. Dan had je kunnen kiezen.'

Ik kijk door het raam naar buiten en binnen in mij maalt het: en wat ik nu doe? Is dat geen keuze?

Maar ik durf niets te zeggen, omdat ik onze reis niet wil bederven; ik wil geloven dat deze reis ons terug zal voeren naar een liefde waarbij je elkaar durft aan te raken zonder te rillen.

Ik zeg alleen: 'Het is fijn om ertussenuit te gaan.'

Te vluchten. Wij vluchten. Wij vluchten door een zomergroen Zweden, door Denemarken dat zo klein is dat we er al doorheen zijn nog voordat ik zelfs maar halverwege mijn boek ben. Door Duitsland, Nederland, een beetje slapen, even wakker worden, verder met Urban, rijden door de nacht, we praten, we praten niet, ik huil 's nachts, ik neem aan dat jij slaapt. We bewegen ons voorwaarts, maar we raken elkaar niet aan. Ik wou dat we er waren. Ik ben de auto's zat, dit niemandsland van asfalt dat onder onze voeten door glijdt. Ook ik bestuur Urban. Ondanks mijn verwassen ochtendjas hecht ik waarde aan gelijkberechtiging van de seksen en wanneer jij acht uur gereden hebt, zeg ik: 'Nu ga ik rijden.'

'Saga?'

'Ja, nu is het mijn beurt.'

'Maar hou je dat vol?'

'Ja, minstens zes uur in ieder geval.'

En ik rij en jij slaapt en ik vraag me af of dit is wat ze vakantie noemen: dat de een wakker is en de ander slaapt. Dat je in ploegendienst werkt om het mooie uitzicht te kunnen fotograferen dat als een nachtmerrie opeens voor de voorruit opdoemt en erom smeekt afgebeeld te worden. We zijn gehoorzame toeristen, we drinken Coca-Cola en hebben fruit bij ons in de auto en ik gooi niets door het raam naar buiten, maar stop alles in een plastic zak tussen mijn voeten. We zijn gehoorzame toeristen en we werken in ploegendienst en we bewegen ons niet naar elkaar toe: we bewegen ons voorwaarts.

Urban rolt, wij rollen en het is een donkere nacht en we rijden nog steeds, omdat we nog diezelfde avond op de plaats van bestemming willen aankomen. Ons doel staat gespeld op een bord langs de weg dat we net gepasseerd zijn: ÉTRETAT 7 KM.

'Het is nu niet ver meer.'

'Nee, helemaal niet ver.'

ÉTRETAT 7 KM.

'Het is nu niet ver meer.'

'Nee, helemaal niet ver.'

Zijn dat de laatste woorden die we zeggen? Kunnen dat de laatste woorden zijn op deze bladzijde van onze eerste werkelijkheid? Saga en Zacharias spreken op deze bladzijde hun laatste woorden uit en dan hoor ik mezelf gillen, eerst zonder geluid, slechts als een ademtocht door mijn keel, daarna met geluid, een gil waarvan ik dacht dat alleen geoefende vrouwen in horrorfilms die konden laten horen. Ik zie hoe iets ons tegemoetkomt, ik zie het, ik zie het en ik ben het die gilt: 'Stop!'

Slaan we over de kop? Staan we op de kop?

Ik ben bang, bang dat we helemaal niet meer kunnen staan.

Zacharias

O Oubliett

OUBLIËTTE *onderaards hol in een gevangenis (waarin een gevangene 'vergeten' kon worden; Fr. oublier: vergeten)*

's Ochtends nemen we onze intrek in een hotel dat Hotel de la Poste heet. Het is een soort stadshotel, vertel je me.

'Nee, het zijn niet de posterijen. Het betekent dat we hier kunnen logeren. Ik ga naar binnen om een kamer voor ons te reserveren.'

Terwijl jij de kamer regelt, kijk ik uit over de straat waar Urban staat. Étretat ziet eruit als iets uit Asterix, de dorpjes die ik als kind in de stripverhalen zag. Misschien komt dat door de huizen: ze hebben gekruiste houten balken over de gevels en doen me denken aan een plaatje van een Gallisch kamp. Ieder moment kan Obelix tevoorschijn komen om mij een hand te geven en iets onverstaanbaars te zeggen in die taal die jij wel verstaat. Misschien is dat een overblijfsel uit de jaren waarin je de man gekend moet hebben die de naam Effe draagt. Misschien zijn we daarom in Frankrijk, zodat jij je thuis zult voelen. Misschien heb je afgesproken hem ergens te ontmoeten. Dat zou me niet verbazen, me ook niet teleurstellen. Jij moet verder met je leven en ik zie wat ik met je heb gedaan; ik vermoed het. Jij bent tot niets gereduceerd en ik ril van schrik wanneer ik zie hoe je zelfvertrouwen uit je wegstroomt als zand uit een zandloper. En nu, wat zal er nu met je gebeuren?

Geïrriteerd draai ik me om naar de weg waar Urban nog steeds staat. Geel, glimmend, heel – met een klein deukje helemaal vooraan. Een deuk die niets zegt, het is alleen dat hij er open en bloot zit. Maar hoeveel auto's hebben zich zonder een kras weten te redden, zoals Urban tot nu toe? Het is vreemd, de auto is net zo oud als jij en hij ziet er gloednieuw uit hoewel je ouders hem jarenlang moeten hebben gebruikt. Het doet een beetje pervers aan om in de eerste auto van twee dode mensen rond te rijden. In die auto moeten ze elkaar hebben gekust, misschien hebben ze luid lachend op de achterbank gevreeën. Ik weet niet wanneer ik jou voor het laatst gekust heb. Hoe smaakt je tong? Zout? Zilt? Naar eten? Naar de liefde? De liefde. Wanneer ik je kus, toen ik je ooit kuste, weet ik nog dat je smaakte naar de liefde – je smaakte naar liefde, lust en intimiteit. Nooit heeft iemand al bij de kus zo gesmaakt. Je opende je mond voor mij, je ziel, je lichaam, je geslacht. Je sloot je ogen en nooit heb ik me zo thuis gevoeld. Die verrekte betovering die me geboeid houdt als een gevangene in een kelderhok zonder raam of deur. Ik moet ontsnappen. Met of zonder jou.

Ik sluit mijn ogen en strijk met mijn hand langs mijn platte buik die nog niet veranderd is, misschien ietsje slapper na te lang stilzitten. Mijn buikpijn is vrijwel verdwenen, heel kleine steken zijn er nog over, als een herinnering aan mijn onvermogen. Maar ik heb alles weer onder controle en ik voel me sterk, niet zoals ik ooit was, sterk door onze liefde, maar eerder sterk bij gebrek daaraan. Ik voel me ijskoud en resoluut en ik weet dat mijn overlevingsinstinct mij zo gemaakt heeft en daar ben ik eeuwig dankbaar voor. Opnieuw sluit ik mijn ogen en zie je, ik zie je ogen die mij volgen, jouw tranen die me zo'n vreselijke gewetenswroeging geven en ik weet dat ik dit niet meer aankan. Ik wil niet zeggen: 'Vergeef me, Saga.'

Er is niets te vergeven, het moet verdwijnen en daarna zal Zacharias, als hij dat mag, weer huizen bouwen en hij, ik, zal werken en beroemd worden en daarna zal ik doodgaan en datgene waardoor ik in de herinnering zal blijven voortleven, is mijn fantastische architectuur; niet door mijn liefde voor jou. De liefde is als een wind waarvan je niet weet uit welke richting hij komt, wanneer hij zal ophouden, wat je ermee aan moet. Wij hebben midden in het oog van de orkaan gestaan waar de wind om ons heen blies, waar we in liefde leefden, maar nu is de wind zachtjes afgenomen en ligt het meer er spiegelglad bij met onze spullen, onze inhoud, drijvend aan de oppervlakte als wrakgoed.

Het bonst in mijn hoofd en ik ga met mijn hand over mijn haar en ik voel iets plakkerigs aan mijn vingers zitten. Wanneer ik ernaar kijk zie ik iets roodbruins, iets klonterigs. Het is vreemd, maar ik kan me niet herinneren hoe ik die wond heb gekregen. Ik bedoel ik wéét het wel, maar ik weet niet waar ik met mijn hoofd tegenaan moet zijn gekomen. Misschien het dashboard toen jij plotseling stopte.

Ik herinner me: er is bos, een bos dat de weg omlijst en waarin ik naar jou op zoek ben. Ik weet niet of ik recht loop, of ik überhaupt kan lopen, misschien lig ik. Ik hoor iemand gillen, dat moet jij zijn, maar jouw stem lijkt helemaal niet op jou: 'Zacharias, Zacharias!'

En ik antwoord, zo vreemd: 'Dat ben ik. Dat moet ik wel zijn.'

En jij pakt mijn handen en je hebt je ogen helemaal opengesperd, je ziet er totaal gestoord uit en je struikelt over je woorden en ik heb moeite om te begrijpen wat je zegt. Je verkeert in shock, je moet in shock verkeren.

'Wat hebben we gedaan?' vraag jij.

'Wij?'

'Ja.'

'Je bent ergens tegenaan gereden', zeg ik.

Jouw ogen zijn wijdopen, je kijkt zo door me heen en je ogen zoeken een weg naar binnen tussen mijn ribben en dat is onaangenaam, mijn hoofd doet pijn en ik ben misselijk. Je probeert iets te zeggen, maar je schudt je hoofd en ik kan je niet met mijn blik fixeren. Ik heb een bloedsmaak in mijn mond, ik moet in shock verkeren.

'Ik?'

Je fluistert en gaat op de grond liggen en trilt en ik moet wel een arm om je heen slaan, hoewel ik ergens bang voor je ben. Wat heb je gedaan?

Daarna zeg je, alsof je moed hebt verzameld en je best doet om normaal te klinken: 'Ik heb hem in de sloot gelegd.'

'Hem?'

'Ja. Ik denk dat hij dood is.'

Ik trek je omhoog en je bent helemaal futloos en ik moet je terugdragen naar Urban, die nog aan de kant van de weg staat met brandende koplampen. In het schijnsel zijn onze schaduwen enorm en ze worden groter naarmate we dichter bij Urban komen, net trekpoppen in een schimmenspel, en we zien er nog langer uit nu jij als een vloerkleed over mijn schouder ligt. Je glijdt tegen de grond en ik zie dat je probeert jezelf te overwinnen, dat je probeert sterk te zijn en rechtop te staan. Je fluistert: 'Daar. In de sloot.'

Ik loop ernaartoe en zie de rug van een man, zijn zijkant, zijn hoofd. Zijn hoofd ligt vreemd, als het ware gebogen, achterwaarts gekeerd. Ik blijf lang staan en het golft door mijn lichaam en ik kan mijn blik niet van hem losmaken. Vastgenageld sta ik met mijn grote handen bloedig langs mijn lichaam.

Ik hoor mezelf zeggen: 'We moeten de auto schoonmaken.'

'Schoonmaken?'

'Afspoelen.'

'Zacharias?'

'Doe wat ik zeg!'

Ik ben sterk, eindelijk, mijn buik is hard en ik voel de messen, maar ik weiger daarnaar te luisteren. Weiger. Uit de kofferbak haal ik een jerrycan met water en giet dat over de voorkant van de auto, ik haal een borstel en boen hem zo schoon als ik maar kan. Iets heeft de deuk rood gekleurd; ik was de auto nog fanatieker totdat hij blinkt, aan de kant van de weg waar hij staat. Ik werk in het licht van de koplampen en het is magisch: als een voorstelling waarbij ik de enige acteur ben. Jij staat ernaast, met je hand voor je mond; je doet niets, je verroert je niet.

'We rijden een stuk door, tot het veld daarginds, en daar wachten we tot het licht wordt. Daarna rijden we naar Étretat, dan lijkt het of we 's ochtends vanuit Fécamp daarnaartoe zijn gereden.'

Jij kijkt me aan. Ik kan je blik niet verdragen.

De uren verstrijken en het wordt licht: het is geen Scandinavisch licht, het komt sneller en verrassender en ik vraag je om weer in de auto te gaan zitten. Je spreekt de eerste woorden van de hele nacht: 'Rij jij?'

'Natuurlijk.'

Ik begrijp je niet, niet wat je denkt, niet hoe je doet. Je bent zwak, ik moet voor jou zorgen. Je bent helemaal in de war en tegen mijn wil ontwaakt de oude liefde in mij, als een vloek, en ik streel je wang en je ziet er bijna vredig uit en zegt: 'Het komt goed. Het moet goed komen.'

We rijden naar het dorp en sinds het is gebeurd, is ons nog steeds geen auto gepasseerd. Het is alsof de weg afgezet is geweest, alsof de enige koplampen die welkom waren, de onze waren en we rijden het bos uit, de duisternis uit en het licht in. 's Ochtends zwemmen we in zee en ik was jou helemaal, opdat er geen sporen, geen vuil, geen bloed meer blijven zitten. Ik weet dat ik je binnenkort zal verliezen en toch kunnen mijn ogen niet genoeg van jou krijgen. Je wast mijn haar in de golven en voor het eerst in heel lange tijd voel ik iets wanneer jij mij vastpakt. Het is waanzin.

Alles is voorbij. Het moet goed komen.

Ik ben terug bij Urban, jij komt nu uit het hotel naar buiten en je raakt mijn schouder aan, je linkeroog is een beetje opgezwollen en ik weet dat je een grote wond onder je blouse verbergt. Je zegt: 'Waar denk je aan?'

'Niets.'

'Nee. Ik ook niet.'

Ik denk aan de woorden die Felicia tegen me zei voordat we vertrokken.

'Saga is labiel. Dat is ze altijd geweest. Ze heeft altijd iemand nodig gehad die haar uit situaties redde. Je moet voor haar zorgen. Laat elkaar niet in de steek. Ga hier samen doorheen.'

En ik kijk naar jou en ik denk: je bent labiel. Ik kan je niet in de steek laten. Al mijn oude liefde komt weer tot leven en ik trek je tegen mij aan en ik ben me ervan bewust dat het een strijd zal worden, dat jij zult vluchten, dat ik je misschien in bepaalde periodes aan iemand anders moet opofferen, maar op den duur zal ik je winnen. Ik zal je alles laten doen wat je wilt, maar je zult bij me blijven en je zult de mijne worden, alleen de mijne. Er zullen niet eens kinderen zijn die met jouw liefde voor mij kunnen concurreren.

'Zullen we naar onze kamer gaan', zeg jij en je pakt in elke hand een koffer van ons, terwijl je lacht naar de portier die meteen toeschiet om te helpen.

Hoe kun je zo rustig zijn? Zo labiel rustig. Boven op onze kamer pak je je koffer uit, terwijl je die van mij bij de deur laat staan. Op de een of andere vreemde manier ben je niet zo onderworpen als eerder. Het is alsof jij je eigen boontjes dopt en je af en toe omkeert en mij daar ziet staan, als een verrassing. Je lijkt vervuld van een zekerheid waarvan ik niet weet wat die inhoudt. Ik pak mijn koffer uit en leg de kleren in de kast alsof dit ons nieuwe thuis is.

'Ik denk dat we hier een poosje blijven', zeg jij en je klinkt enorm gedecideerd.

Veel gedecideerder dan in lange tijd.

Ik knik, ik voel me duizelig en ik heb weer hoofdpijn gekregen. Je kleedt je uit voor mijn wazige blik en ik zie jouw wonden en je lijkt totaal onaangedaan.

'Heb je pijn?' vraag je.

'Nee. Waarom?'

'Wil je erover praten?'

'Waarover?'

Ik geef geen antwoord en ik ben verrast dat je niets zegt, dat je niet wilt praten, gillen, huilen over wat er is gebeurd. Op hetzelfde moment realiseer ik me dat ik ook niet gil, ook ik huil niet. Maar het is zo lang geleden.

Je staat naakt voor het raam en wanneer je naar buiten leunt om rond te kijken steekt je achterste naar mij toe. Hiervandaan kan ik de zee horen. Je spreidt je benen een klein beetje en ik krijg zo verschrikkelijk veel zin dat ik er bang van word, ik voel me net een beest dat een ander beest wil overvallen. Precies op dat moment draai jij je om, je ogen schieten vuur en je lijkt waanzinnig boos, vol van lust, haat, liefde, waanzin, verdriet, blijdschap. Ik heb je nog nooit zo gezien. Je gaat boven op mij liggen en je kust me en ik houd je vast en ik wil je zo vreselijk graag hebben, ik wil in je zijn, ik wil je tegen me aan houden en je mag niet verdwijnen. God, laat ik haar niet kwijtraken! Nu niet, later niet – nooit. Ik ben in je en hier hoog boven, tot waar ik ben opgestegen, zie ik jouw genot, jouw tot de kern teruggebrachte genot. Je ziet mij niet, je leeft je eigen leven en ik adem heel zwaar.

Hoe zullen we een uitweg vinden?

Hiervandaan hoor ik de zee.

P Pendel

PENDELEN *heen en weer gaan; heen en weer of rond een rustpunt slingeren*

Ik word wakker in een vreemd bed, realiseer me dat we achttien uur aan één stuk geslapen moeten hebben en dat we nog bijna in precies dezelfde houding liggen als waarin we insliepen. Jij ligt tegen mijn borst gedrukt en je mond staat een beetje open. Mijn lichaam doet het en kent blijdschap: voor het eerst in lange tijd voel ik me levend. Sinds mijn zelfvertrouwen me werd ontnomen, mijn baan, is mijn persoonlijkheid langzaam uitgehold als een steen. En toen ik te horen kreeg dat ik onvruchtbaar was, viel ik ter aarde als een klein dik jongetje dat opeens lek werd geprikt. Over is alleen nog een ballon die vol gaten zit en die nooit meer kan worden opgeblazen. Mijn droom over ons perfecte leven is stukgelopen en ik stond erbij en liet het gebeuren. Ik heb er niets tegen gedaan, kon dat niet, ik gaf anderen de schuld en heb helemaal niemand vergeven. Wie moest ik vergeven? Mama? Hoe zou ik dat kunnen? Jou? Wat is er te vergeven; het was immers niet jouw fout dat mijn hele leven een grap bleek te zijn. Ik stond op het punt om leugen te zeggen, maar ik weet niet meer waarover ik heb gelogen.

De jaren in het huis waarin mama zich overal mee bemoeide en papa zich niet vermoeide, zijn voor eeuwig voorbij. Dat is over en het was onaangenaam en ik weet niet eens waarom. Alleen dat ik blij ben dat die jaren voorbij zijn. Maar waarom deze buikpijnen? Als alles toch weer opnieuw kan beginnen? Niets kan opnieuw beginnen; voor mij ontbreken de voorwaarden om opnieuw te beginnen en ik weet hoe jij me bij een gelegenheid als deze zou noemen, maar ik kan het echt niet opbrengen daarnaar te luisteren. Mijn hoofd doet pijn en er komt nog steeds bloed uit de wond die ik heb opgelopen in een nacht vol koplampen. Dat is nog niet zo lang geleden.

Ik schrik op en kijk naar jou; je zachte gezicht maakt me bang. Je jaagt me angst aan en ik ben betoverd en haat mijzelf dat ik van je houd. Dat is een kracht die sterker is dan ik en soms heb ik het gevoel dat ik een figurant ben die in de coulissen van zijn eigen leven staat. Jij bent degene die in het middelpunt staat, altijd de vrouw, jij bent degene die vertelt, die regelt, die voelt, die leeft. Ik ben bijna vergeten hoe het is om te voelen.

Ik weet dat ik je heb verloochend, dat ik keer op keer kwaad over je heb gesproken. Dat gevoel heb ik, maar ik weet ook dat ik dat voor ons eigen bestwil heb gedaan. Jouw sympathie en jouw omzichtig rondlopen hebben ons allebei naar beneden gehaald. Ik heb kwaad over je gesproken, en hier lig ik en ik bid tot God dat je me niet zult verlaten, hoewel je labiel bent en – dat is angstaanjagend – misschien krankzinnig. Ik moet je beschermen, misschien is de liefde daarom zo sterk, omdat ik je moet beschermen.

Ik trek je dichter tegen mij aan en je mompelt in je slaap en ik probeer te verstaan wat je zegt, je fluistert in je slaap: ‘Nee, het was niet jouw fout. Je hebt gedaan zoals je altijd doet. Zoals je werd opgedragen.’

En ik probeer je wakker te maken om te zien of je echt praat in je slaap of dat je iets tegen mij probeert te zeggen. Je ademt zwaar, daarna sla je je ogen op en zegt, helder en duidelijk: 'Goeiemorgen, Zacharias.'

'Goeiemorgen.'

'Waar zijn we?'

'We zijn in Frankrijk. In Normandië. In Étretat.'

'Wat doen we hier?'

'We zijn op vakantie.'

'Is het leuk?'

'Ja en nee. Een beetje vermoeiend.'

'O.'

'Herinner je je niets?'

'Jawel.'

'Wat herinner je je, Saga?'

'Dat we door Denemarken, door Duitsland, door Nederland en België zijn gereden en toen Frankrijk in en dat ik heel moe was. Ik heb alle afval in een zak tussen mijn voeten gestopt, dat weet ik nog.'

'En daarna?'

'Daarna hebben we foto's gemaakt van wat jij uitzichten noemde, ze zagen eruit als nachtmerries en we probeerden erom te lachen, maar dat konden we niet. We kwamen wel in beweging, maar we raakten er niet door bewogen; daar konden we ons niet toe bewegen.'

'Nu wel.'

'Ja. Dat is bevrijdend, alsof ik nu minder weeg, zoals vroeger. Dat komt door jou.'

'Is dat zo?'

'Ja. Je bezat het geluk en je hebt mij het mijne getoond en daarna was de wereld veranderd.'

'Totdat het gebeurde.'

'Ja. Het gebeurde. Maar we hadden kunnen doorgaan met leven. Maar dat deden we niet.'

'We kónden dat niet.'

'Jawel. Dat konden we wel. Er is geen excuus, geen enkel. We zijn opgehouden met leven.'

'En nu?'

'Het doet pijn. Maar we leven.'

'Wat is er daarna gebeurd, Saga?'

'Daarna kwamen we hier. We hebben een mooie kamer, vind je niet?'

Je beweegt tegen me aan en mijn gedachten zijn geblokkeerd. Wat moet ik met je doen? Zal ik Felicia bellen? Nee. Ik moet jou zelf oplossen. We vrijen weer en ik begrijp niet wat je met me doet, hoe je zo sterk kunt zijn en toch zo'n behoefte aan hulp kunt hebben. Aan fysieke hulp, aan psychische. Opeens bedenk ik dat ik misschien met je naar een dokter moet gaan, misschien moet ik daar zelf ook wel naartoe. Maar die zal vragen stellen, jij zult rare antwoorden geven. Zullen ze je gaan verhoren? Het moet in de krant staan, ik moet je vragen of je de krant voor me wilt lezen om te zien of er iets in staat, zodat ik weet hoe ik moet handelen. Wat ik moet zeggen.

'Saga?'

'Ja.'

'We hebben op weg hiernaartoe iets aangereden. Een dier. Weet je dat nog?'

'Een dier.'

'Ja. Een hert. Een ree. Iets groots. Er zit een deuk in Urban.'

'Een groot dier? Waar we de nek van hebben gebroken?'

'Ja. Kun je je dat nog herinneren?'

'Nee. Kun jij je dat nog herinneren, Zacharias?'

'Ik herinner het me nog. Je zult wel erg moe zijn geweest, het was niet jouw schuld. Ik had het van je over moeten nemen.'

'Mijn schuld?'

'Ja. Saga, als iemand ernaar vraagt, dan hebben we een dier aangereden. Iets groots, we weten niet wat het was en daarna is het in het bos verdwenen.'

'Als jij dat zo wilt.'

'Ja.'

Je kleedt je aan en je bent vreemd afwezig en je loopt de deur uit zonder te zeggen waar je heen gaat.

'Saga?'

'Ja.'

'Waar ga je heen?'

'Ik moet even een paar dingen uitzoeken. We zien elkaar bij de lunch.'

Je laat me in mijn eenzaamheid achter en ik vraag me af of het verstandig is je te laten gaan. Mijn buikpijn begint weer en ik ben opnieuw getransformeerd tot iemand die zijn blik op het plafond gericht houdt, daarna op het raam, daarna op de luxaflex. Ik ben niets, ik ben pijn, ik ben steken, ik ben het kwaad, ik ben man, ik heb pijn, ik ben niets. Het doet verschrikkelijk pijn en ik leg mijn kussen over mijn hoofd om me in te houden en ik herhaal voor mezelf: dit moet me lukken, ik moet je helpen. Anders verdwijn je naar het land der saga's en ik weet niet of ik daar de weg weet, tussen dode ouders en gekke tantes. En ik? Ik leef in een werkelijkheid waarin men mannen met gebroken nekken in een sloot dumpt. Ik leef in een wereld waarin men wegloopt voor onaangename dingen, voor conflicten, voor waarheden. Stil! Ik kan niet meer, ik ben pijn, ik ben...

Drie uur later, drie jaar later zit je op de rand van ons bed en je ziet mijn zweet, ziet mijn tranen en wist mijn voorhoofd af terwijl je me een glas water geeft.

'We moeten hier iets aan doen. Dit kan zo niet. We moeten een keer praten, lieve Zacharias.'

Ik fluister: 'Ja. Dat moeten we.'

En ik ben slap, ik ben klein en ik lig in jouw armen en hoe kon zo'n sterke man zo'n klein jongetje worden? Je wiegt mij en het is vredig en je mag mij nooit verlaten – verman je! – verlaat mij niet. Ik schud mijn hoofd, loop de douche in en sta met open mond naar de stralen gekeerd. Misschien sta ik daar een hele poos, ik weet het niet, maar opeens hoor ik jou voor de deur en ik schrik op, zoals altijd wanneer iemand mij besluipt en op de badkamerdeur klopt die op slot zit. Jij klopt en ik buig me over de wastafel en ik ben misselijk, het gaat in golven en buiten roept, gilt, huilt iemand en ik ben misselijk en dan...

'Mama?'

'Nee. Ik ben het. Saga.'

'Dat weet ik', zeg ik geïrriteerd en ik wou dat ik alleen was, dat je wegging, dat ik kon zeggen dat ik je krankzinnigheid niet aankan.

Je geeft mij een handdoek en je ziet eruit als de rust zelve, behalve dat je ene oog bezig is helemaal dicht te zwellen.

We gaan de straat op en iedereen om ons heen spreekt die wonderlijke taal en het zal wel gewoon zijn, maar het maakt dat ik het gevoel heb alsof ik in een luchtbel leef omdat mijn woordenschat gering is. Jij groet een man die kranten verkoopt en jullie praten wat en hij geeft je de lokale krant en ik krijg een schok vanbinnen. We lopen verder en gaan in een restaurant zitten en jij kent de taal, ik, ik bezit helemaal geen woorden. Ik ben geluidloos, geslachtloos, machteloos. Je leest de krant grondig door en ik kijk naar je gezicht om te zien of dat verandert, of je bang wordt, of je enig teken van herkenning vertoont. Maar je bent kalm en moet zelfs lachen wanneer je het stripverhaal leest.

'Wat staat erin?'

'Van alles. Een beetje politiek, lokaal nieuws. Het is leuk om te lezen.'

'Staat er iets bijzonders in?'

'Wat bedoel je? Verklaar je nader.'

'Over ongelukken, bijvoorbeeld.'

'Nee. Niets.'

Je wendt je ogen naar mij toe en je hebt dezelfde blik als toen je recht door me heen keek, toen je me vond, toen ik jou vond, totaal gehypnotiseerd in het donkere bos aan de kant van de weg. Dezelfde onderzoekende blik en die maakt me onrustig en ik voel dat ik eigenlijk iets zou moeten vertellen, als ik maar wist wat. *Labiel.*

'Ik wil weer naar huis om te rusten.'

Je knikt en pakt mijn hand, ik neem aan dat wij er van een afstand uitzien als welk gelukkig liefdespaar dan ook en dat beeld is vals en waar tegelijk. Opeens besef ik dat mijn beeld van het gelukkige, het perfecte westerse paar iets is dat ik met mij mee heb gedragen, onbewust, en als criterium heb gebruikt voor alle verhoudingen waar ik vervolgens aan ben begonnen. Ik heb dat ook bij jou geprobeerd en een poosje heb ik gedacht dat ik geslaagd was, maar dat was niet zo. Het geeft me een gevoel van opluchting, van bevrijding, om te ontsnappen aan het perfecte leven waarin ik een prins ben, jij mijn prinses en het geluk ons koninkrijk. Alsof ik eindelijk tegen mijn moeder heb gezegd, definitief: 'Er bestaat geen perfect leven. Maar wel een ander leven.'

Het dringt tot me door dat ik hardop praat en jij slaat je arm om mij heen en trekt me tegen je aan.

'Dat weet ik. Dat heb ik wel begrepen.'

En het is alsof er een rust over ons komt en alles is bijna vergeten, ik bloed niet meer, jouw oog is zachtblauw en dat zal over een paar weken verdwenen zijn, daarna repareren we Urban en alles is voorbij. Alles is voorbij en wij zijn weer levend.

De dagen verstrijken en er gebeurt niets, we praten er niet over, ik denk dat ik jou met rust moet laten. Het is heel stil en bijna vredig, tot jij op een avond op je zij ligt om je boek te lezen en zegt: 'Ik heb vandaag een stel ontmoet.'

'Een stel?'

'Ja. Een Frans stel. Monsieur en madame Léchampe. Ze waren ouder dan wij, misschien van de leeftijd van mijn ouders. Zij had donker haar tot op haar schouders en leek verschrikkelijk veel op mijn moeder. Ik bedoel, zoals ik denk dat mijn moeder er tegenwoordig zou hebben uitgezien, als ze had geleefd. Hetzelfde met de man, het was gek. Ik schrok ervan en misschien zagen ze dat, want ze kwamen naar me toe om met me te praten. Ze wonen hier 's zomers, in een wit huis verderop.'

'Waar hebben jullie het over gehad?'

'Over van alles en nog wat. Ik heb over mezelf verteld, over jou. Zij hebben over hun leven verteld.'

'Vreemd.'

'Ja, maar het was gezellig.'

Daarna draai je je om en lees je nog wat in je boek en opnieuw frappeert het me: dat je je zo normaal gedraagt. Je buigt je over mij heen om het bedlampje uit te doen en je borst beroert mijn lippen. Ik kus je tepel en jij streelt mijn voorhoofd met je haar.

Net wanneer we op het punt staan in slaap te vallen, fluister jij alsof je het allemaal grondig hebt overwogen: 'Ze hebben ook een geheim verteld.'

'Aan jou?'

'Ja.'

'Wat dan?'

'Ze vertelden dat ze een ongeluk hadden meegemaakt.'

'Wat was er gebeurd?'

Jij ademt. Dan zeg je: 'Ze hebben een man aangereden. Ze hebben zijn nek gebroken, hebben hem aan de kant van de weg gelegd en zijn toen doorgereden.'

Ik houd mijn adem in, ik sluit mijn ogen, ik zoek je hand maar die is er niet. Het bed is helemaal leeg, ik ben alleen in een vacuüm waarin onze zielen geen gewicht hebben en ik pardoes achterover val.

Er is geen geluid te horen.

Q Quo vadis, domine?

QUO VADIS, DOMINE? *(Lat.) waarheen gaat U, Heer? (volgens de overlevering de vraag die Petrus aan Jezus stelde toen deze zich tijdens Petrus' vlucht uit Rome aan hem openbaarde)*

Ik vind je op het strand, gekleed in een gebloemd badpak en met een strooien hoed op die je gezicht bedekt dat niet zo bleek meer is. Je rode haar hangt los over je schouders, het is helemaal steil en wanneer ik het aanraak, doet het af en toe statisch aan, alsof je een krachtveld bent. Je zit aan het water, je bent net een magneet die mij aantrekt en ondanks het feit dat je badpak van het merk Radioactive is, ga ik naast je zitten. Je ruikt naar zout en zeewier en je hebt kippenvel, net als die keer toen we op een nacht in een zwembad zwommen en we al ons vertrouwen moesten aanspreken om elkaar te bereiken, op elkaar te vertrouwen, de ander te zien dwars door alle lagen van opvattingen die we meedroegen heen. Goeie genade, wat doen we ons toch anders voor dan we zijn! We zijn bang, we durven niet, we verstoppen ons, we maken grappen, we spelen spelletjes, we kleden ons helemaal uit, we rennen naar huis, we spelen weer en nooit hebben we elkaar echt gezien, elkaar zodanig vertrouwd dat we durven te zeggen: 'Ik wil niet dat dit al voorbij is voordat het überhaupt is begonnen.'

Ik heb dat wel gezegd. Of was jij het? Ik heb dat wel gezegd en ik meende dat ik een eerlijke man zag, een man die durfde lief te hebben, een man die je door alle veranderingen van het leven heen lief zou hebben. Dat was mijn belofte, maar ik heb die belofte niet kunnen houden. Ik loog niet, maar het lukte me niet. Een zomervakantie, zoveel beloofde ik je; ik heb mijn woord gehouden. Ik heb je er verschillende geschonken. Van jou houden in gelukkige tijden, dat was gemakkelijk. Maar van je houden toen het verdriet kwam, weten van welke taal ik me toen moest bedienen, dat was moeilijk. Misschien was ik tot dat moment steeds gevlucht en had ik nooit goed geoefend. Moet je je gevoelens blijven trainen, heel het spectrum van nieuwe inzichten dat een compleet mens vormt?

En hier ben jij. Je kijkt uit over de zee en de zon maakt sterretjes op je lichaam, het zout glinstert in de stralen van de zon en het water van de zee loopt als tranen uit je ogen. Hoe moet ik je bereiken? Hoe kan ik alle juiste vragen stellen, analyseren, voorzichtig manoeuvreren, je op je verdringingsmechanismen wijzen, je aan het huilen, aan het leven maken? Dat is allemaal jouw terrein. Jij was altijd degene die vraagtekens zette, op mogelijkheden wees, mijn gedrag analyseerde. Opeens wou ik dat ik beter had geluisterd, daar had ik nu wat aan gehad. Mijn hersenen gloeien en mijn gedachten zitten in een achtbaan in mijn bloeddoorlopen hoofd. Als er nou maar één gedachte op de juiste plek viel, eentje die ik tegen het licht zou kunnen houden om te onderzoeken. Jij zegt: 'Ik heb vanochtend weer met ze ontbeten.'

'Met het stel?'

'Ja.'

'Wat zeiden ze? Ik bedoel, zeiden ze verder nog wat over het ongeluk?'

'Ze zeiden dat het langgeleden gebeurd is. Dat de vergetelheid en de jaren ervoor hebben gezorgd dat iedereen de man die zomaar verdween is vergeten. Iedereen, behalve zij.'

'Wat hebben ze met de man gedaan?'

'Dat willen ze niet vertellen. Ze willen er tegelijkertijd wel en niet over praten. Vreemd.'

'Waar hebben jullie het verder nog over wanneer jullie elkaar ontmoeten?'

'Over schuldgevoel. Over hoe dat erger wordt, met de jaren, en dat je wel om genade moet smeken om vrij te worden. Dat je moet vergeven.'

'Zijn zij vrij?'

'Nee. Ze kunnen elkaar niet vergeven. Ze kunnen er niet over praten.'

'Maar jij praat toch met ze!'

'Ze zeggen dat ik de enige ben met wie ze praten. Dat ze met mij kunnen praten, via mij, omdat ik uit een andere wereld kom. Dat ik hen niet verraad en dat ik objectief ben.'

'Dat moet een hele opluchting voor ze zijn. Met iemand te mogen praten', zeg ik, terwijl ik het zand van je schouder veeg.

Wat is echt, wat is vals? Ik moet luisteren, ik moet de sleutel tot jouw gedachtewereld hebben om te zorgen dat jij je opent, tot inzicht komt. De weken zijn verstreken en ik weet niet of ik überhaupt een centimeter dichterbij ben gekomen.

'Ja. Dat is de voorwaarde. Maar ze zouden eigenlijk met elkáár moeten praten. Niet via mij.'

'Waar zouden ze over moeten praten?'

'Over alles wat onuitgesproken is.'

'Begin jij maar', fluister ik, me bewust van het spelletje dat zojuist is begonnen.

'Eerst waren ze heel gelukkig, weet je. Schunnig gelukkig,

zei men en ze waren met verbijstering geslagen over hoe de wereld veranderde bij iedere stap die ze samen zetten. Ze hadden een taal, ze vertrouwden op elkaar en ze gaven, zonder erbij na te denken wat ze terug konden krijgen. Daarom hield de liefde niet op. Ze waren elkaars beste vrienden en werden ook als zodanig behandeld. Ze vermeden de verveling omdat ze die niet hadden uitgevonden. Ze waren heel goed bedeeld. Inderdaad, ze waren gelukkig.'

'Wat gebeurde er toen?'

'Toen veranderde de wereld om hen heen, er gebeurden dingen, maar zij bleven dezelfden, ze hádden eigenlijk dezelfden moeten kunnen blijven. Maar ze lieten elkaar in de steek. Dat is onbegrijpelijk, niet onvergeeflijk.'

'Hoe kwam dat?'

'Omdat ze niet de hele waarheid hadden verteld. Omdat die onaangenaam was en ze in plaats daarvan liever de gemakkelijke woorden gebruikten, woorden die niet schuurden, en daarna speelden ze de rol die hun was aangeleerd en dat was afschuwelijk.'

'En toen?'

'Ga door', zeg jij, met je blik nog steeds op de zee gericht.

'Ik weet het niet. Ik heb het stel niet ontmoet.'

Dan kijk je mij aan, vanaf de andere kant van de wereld der saga's, en ik concentreer me en vervolg: 'Ik zal het proberen. Hij wilde haar begrijpen, zich openstellen, dat wilde hij echt, maar hij was niet gewend aan conflicten. Om daarmee om te gaan en vervolgens degene die hem pijn had gedaan te vergeven. Ik denk dat hij zichzelf als een slachtoffer zag.'

'En wie had hem pijn gedaan?'

'Dat weet ik niet. Misschien iemand in het gezin waaruit hij kwam. In zijn gezin gaf men anderen de schuld of men bemoeide zich er niet mee. Die jongen voelde zich niet geborgen en om daarna een man te worden was moeilijk, bijna onmogelijk. De moeder wilde dat de zoon alles werd wat de vader nooit was. Ze nam haar zoon tot minnaar. Het was pervers. Hij leerde nooit van zich af te bijten.'

Ik voel hoe ik door het spel word gegrepen en hoeveel moeite het me kost om op te houden met praten, alsof er in mij verschillende stemmen huizen en dit er slechts één van is die zich wil laten horen. De stem klinkt zo jong, als de stem van een jongen in de puberteit die overslaat en af en toe de hoogte in schiet. Ik zweet.

'Hij probeerde te protesteren. Hij probeerde te protesteren door te zijn wie hij was. Door te eten wat hij wilde, dik te zijn als hij dat wilde, slechte cijfers te halen als hij dat wilde. Hij wilde dat zijn moeder van hem hield zoals hij was. Alleen zo. Hij vond niet dat dat te veel gevraagd was.'

'En kon ze dat?'

'Nee. Ik geloof niet dat ze van iemand kon houden; ze hield niet van zijn vader of van zichzelf. Dan zal het wel moeilijk zijn. De moeder vond dat de zoon het waard was een prins te worden, zoals zij haar best had gedaan. En hij, hij stak daar een stokje voor.'

'Gaf hem dat een slecht geweten?'

'Misschien gaf zij hem daarvoor een slecht geweten. Misschien was het toch niet zijn schuld.'

'Nee. Dat denk ik niet.'

'En hij werd heel misselijk. Bij vlagen. Ik weet niet waarom. Ik geloof dat hij ook moest overgeven, maar dat weet ik niet zeker.'

Ik zwijg, schraap mijn keel en voel me onbehaaglijk, alsof ik iets heb gezegd wat ik eigenlijk niet had moeten zeggen, en ik voel me opgelucht, over het feit dat dit iets eindelijk onder woorden is gebracht. Jij houdt mijn hand vast en ik fluister: 'Heeft dit verhaal ook een einde?'

'Dat denk ik wel. Ik zal het hun morgen vragen.'

En we zitten tegen elkaar aangeleund en het is vredig en ik ben vergeten hoe ik moet proberen je te bereiken, wat ik je moet vragen. Het enige wat me interesseert zijn monsieur en madame Léchampe.

'Mag ik met ze kennismaken?'

'Dat weet ik niet. Wat zou je ze willen vragen?'

'Ik zou ze willen vragen of er echt zoiets als een gelukkig huwelijk bestaat. Of er woorden zijn buiten het alfabet om, zoals Felicia zei.'

'Dat heb ik gevraagd. Ze zeiden ja. Maar dat je de ander in absoluut vertrouwen met rust moet laten. Je mag niet proberen de ander te veranderen. Je mag niet willen leven via de ander. Je moet in de eerste plaats je eigen leven willen leven. En je moet op de ander vertrouwen.'

'Hoe moet je elkaar begrijpen?'

'Je moet de wereld opnieuw duiden, aan elkaar, met nieuwe woorden, met een nieuw alfabet en vervolgens moet je wat er is gebeurd vergeven. Dwars door alle ideeën die we over elkaar hebben heen kijken. Dat is de basis om opnieuw te kunnen beginnen.'

'Kunnen monsieur en madame Léchampe dat?'

'Ze zeggen dat ze een flink stuk op weg zijn. Ze zeggen dat het je nooit helemaal lukt, dat dat logisch is. Dat je daar geen woorden voor hebt.'

'Ik zou ze toch echt graag willen ontmoeten.'

'We zien wel.'

Je pakt mijn hand en we duiken door de koude golven die

mij vragen: geloof je haar? Is dit waar? Bestaan ze echt?

En ik kan geen absoluut zeker antwoord geven. Misschien heb je ze ontmoet. Misschien hebben ze het een en ander over zichzelf verteld, en is het ongeluk zelf iets waarvan jij denkt dat zíj dat hebben verteld, uit angst om te erkennen dat jij dat zelf hebt meegemaakt. Dat jij – en ik – een ander mens hebben gedood.

Ik kom uit het water omhoog en mijn schuldgevoel loopt langs mijn natte schouders en ik weet niet hoe ik me schoon kan wassen. Jij zwaait naar mij vanuit de golven en ik realiseer me dat jou helpen, op jou vertrouwen, doorgaan met van jou te houden – wat er ook gebeurt – de enige mogelijkheid is om hier een uitweg uit te vinden. Ik beloof om je te volgen door alle mogelijk denkbare werelden, echte en onechte, door alle denkbare liefdesverhoudingen die jij maar kunt willen hebben. Zoals met Effe. Als je wilt zal ik je in zijn armen leggen en je dan de volgende ochtend weer ophalen. Dat is de enige manier voor mij om hier, redelijk netjes, een uitweg uit te vinden.

Wanneer we ons 's avonds uitkleden en jij net de lamp wilt uitdoen, vraag ik: 'Dat met het ongeluk. Hebben ze het daar veel over gehad? Het beschreven?'

'Nee.'

'Wiens schuld was het?'

'Van niemand.'

'Nee.'

En toch: 'Saga? Wie reed er die nacht?'

'Wie denk je?'

'Dat zij het was. Dat zij reed en dat er iemand zo de weg op sprong, alsof hij uit het niets kwam, en dat ze verlamd was. Dat ze wilde verdwijnen, dat ze de dood niet nog een keer aankon. Dat ze het niet aankon. Maar dat hij zou willen zeggen dat het niet uitmaakt. Dat hij het net zo goed had kunnen zijn. Ja, hij wou dat dat zo was.'

'Net zo goed?'

'Ja.'

De golven keren zich naar het strand, keren zich van het strand af, keren zich binnenstebuiten en de schelpen ritselen tegen de stenen op het strand en sommige slaan stuk terwijl andere er mooier van worden. Ons raam staat open. We hebben een raam dat uitkijkt op zee en hiervandaan hoor ik dat. Bijna vrij.

Ik word wakker van een kreet. Dat moet jij zijn. Ik druk je zo stevig tegen me aan dat jouw kreet langs mijn borst omhoog geperst moet worden om te kunnen ontsnappen. Als ik mijn adem inhoud, kan hij er niet langs. Ik houd mijn adem in. Kun je kreten tegenhouden die uit pure schrik voortkomen, door wilskracht die verborgen ligt onder zwakte? Ik moet je beschermen; ik moet de kreten van je overnemen en in mij laten huizen. Jouw kwetsbaarheid ligt als zweet rond mijn lichaam wanneer ik 's nachts jouw heupen tegen de mijne houd terwijl we vrijen, vrijen op de manier zoals je zou doen met een broer of zus, niet uit gewoonte maar met een vanzelfsprekende nieuwsgierigheid en in de bevestiging van wat je al weet: dat ik van je houd. Het is net een vloek.

De dood leeft in ons, net zoals het geluk ooit deed. Waardoor kan hij worden verdrongen? Een gebroken nek tegen een ruitenwisser, hoe kan die verdwijnen, weer heel worden? Onze verachting, onze koelbloedigheid, onze onervarenheid om het leven te zien zoals het was, buiten het mooie uitzicht, de ansichtkaarten, onze ideeën, de foto's, de perfecte glimlachen, de Coca-Cola-blikjes om?

Lieve God, help me.

R Respekt

RESPECT *achting, eerbied (zelfs tot op de rand van vrees)*

Ik hoor hoe je je aankleedt. Je trekt je groene jurk over je hoofd en ik hoor hoe die op zijn plaats glijdt, hoe hij langs je dijen valt en ritselt wanneer hij tegen je aan komt. Ik zie hoe je voor de metershoge spiegel gaat staan, je hand door je haar haalt en de slaap uit je ogen wrijft. Je haar zit verward in een knot boven op je hoofd. Je maakt het met je vingers los. Daarna haal je je mascara tevoorschijn en begin je met grote nauwkeurigheid je lichte wimpers donker te kleuren. Met je ene oog opgemaakt en het andere licht zie je eruit als een clown. Als een gespleten mens, het ene deel onder controle, het andere naakt. Nu maak je je andere oog ook op en druk je even op de blauwe zwelling onder het oog, die bijna verdwenen is nu er weken overheen zijn gegaan. Je ziet er zo ongelooflijk kalm en harmonieus uit. In de overtuiging dat ik slaap, pak je een stoel en ga je voor de spiegel zitten. Je houdt je handen ertegenaan en het lijkt alsof jouw handen die van iemand anders ontmoeten. Je kijkt naar jezelf, je lippen naderen elkaar in de spiegel en je sluit je ogen in een kus. Opeens begin je te huilen, eerst rustig, daarna steeds heftiger en je houdt je hand voor je mond om geen geluid te maken. Nu zie je eruit als een clown in de regen of in grote hitte.

Ik hoor hoe je tegen de spiegel fluistert: 'Mama. Papa. Hoe moet ik het volhouden? Hoe kan ik hem helpen?'

Alsof die woorden je gekalmeerd hebben, droog je met de zoom van je jurk je tranen af en er komen lange zwarte strepen op je wang. Daarna ga je staan en strijk je met je handen langs je gezicht alsof je de scherven waaruit je bestaat bij elkaar wilt vegen.

'Ik kan het.'

Je keert je naar mij toe en ik knijp mijn ogen dicht zodat je niet ziet dat ik het heb gezien. Je loopt naar me toe en kust mijn voorhoofd, mijn ogen, mijn haargrens. Strijkt met je hand over mijn stoppelbaard, hetgeen een licht knisperend geluid veroorzaakt. Ik voel hoe je naar me kijkt en zoals gewoonlijk denk ik hoe absurd het is dat jij voor mij lijkt te zorgen. Dat jij degene bent die mij vasthoudt wanneer ik pijn heb. Ik heb een vieze smaak in mijn mond, alsof ik een paar keer heb overgegeven. Is dat zo? Ik kan het me niet herinneren, misschien heb ik gisteren een paar verkeerde mosselen gegeten. Of misschien keert de taal zich om in mijn maag.

Jij staat op en doet de deur heel langzaam achter je dicht. Alsof je sluipt. Snel trek ik mijn korte spijkerbroek, een wit T-shirt en beige gympen aan en zet een zonnebril op. Wanneer ik mezelf in de spiegel voorbij zie lopen, zie ik er zo gewoon uit dat het bijna lachwekkend is. Als een Duitse toerist, als een Zweed, als een Amerikaan – het onderscheid is minimaal. Maar ik ben geen gewone toerist, ik draag een schuld die de lakens 's nachts loodzwaar maakt. In mijn ogen zie ik iets wat ik nog nooit eerder heb gezien: vrees. De man die ik in de spiegel zie, ziet er ontzettend bang uit. En toch, toch is er een openheid in zijn blik. Een verwarring, maar toch een openheid, niet de gewone Zacharias-blik van totale zelfbeheersing terwijl onder de oppervlakte alles golft. Zoals altijd doet de gedachte aan mijn onvruchtbaarheid zoveel pijn dat ik hem meteen onderdruk en ik vervolgens steken in mijn buik krijg.

Kinderen op het strand, kinderen in auto's, kinderen in het hotel, de kinderen van de portier die achter het hotel spelen en naar ons schreeuwen wanneer we uit het raam kijken. Het jongetje met de bruine ogen uit het restaurant dat mij aanstaart. Het meisje in de draaimolen in Fécamp waar we op een avond naartoe reden. De kinderen die rondhangen voor de tabakszaak en bedelen om kleingeld voor kauwgom en sigaretten. Overal kinderen: kinderen in mijn dromen, foetussen, levende kinderen, dode kinderen. Ik huil.

Ik huil en met grote verbazing zie ik in de spiegel mijn eigen tranen langs mijn wangen lopen. Net zoals jij deed, strek ik mijn hand uit en raak ik mijzelf aan, droog mijn eigen tranen. In achttien jaren geen traan en nu, nu stromen ze in een hotelkamer in Étretat, waar ik mij bevind in een vreemde mengeling van geluk, verdriet, ontzetting en opluchting. Mijn ogen staan wijdopen en ik fluister tegen mezelf: 'Ik ben zo ontzettend bang geweest.'

En ik ben nu niet zo bang meer.

'Ik heb geprobeerd een perfect leven op te bouwen om iemand anders te behagen.'

En dat leven bestaat niet meer. Ik adem: 'Ik dacht dat alles al voorbij was voordat het überhaupt was begonnen. Ik heb je verloochend en ik ben een martelaar geweest.'

De tranen blijven stromen en ik begin bijna te lachen bij de gedachte dat iemand mij zou kunnen zien.

'Mama. Mama, wat heb je gedaan?'

Maar de spiegel is leeg en ik heb geen antwoorden, totaal geen antwoorden. In plaats daarvan zeg ik: 'Zacharias. Zacharias, wat heb je gedaan?'

Ik? Wat heb ik gedaan? Ik heb jou gered, ik heb alle sporen uitgewist, ik heb. Ik...

Wat heb ik gedaan?

Ik ren de kamer uit, de straat op, achter jou aan. Door de straten ren ik, ergens moet jij zijn, ik voel dat ik iets moet vertellen, als ik maar wist wat. De kinderen voor het tabakszaakje roepen naar me en ik wuif terwijl ik langs ren. Jij bent niet in ons restaurant, niet op het strand, niet op de markt. Maar daar! Daar in het café op de hoek, op het terras aan de overkant van de straat zie ik je rode haar naast twee onbekende mensen. Een oudere dame en een oudere heer. Ze houden elkaars hand vast, jullie lachen ergens om. De man raakt jouw haar aan en je laat dat toe. Zoals jullie daar zitten zien jullie eruit alsof jullie niet echt zijn, alsof jullie daar zijn neergezet als figuranten voor een filmopname. Jullie praten met elkaar, maar er komt geen geluid. Jullie zeggen iets, maar ik versta de inhoud niet. Ik verstop me achter een auto en zie jullie croissantjes eten en koffiedrinken. Durfde ik maar naar jullie toe te gaan, iets te zeggen. Maar ik ken de taal niet.

Wanneer ik weer opkijk, zijn jullie weg. Er kunnen hooguit vijf seconden verstreken zijn en jullie zijn helemaal verdwenen. Ik begrijp er niets van, wrijf de slaap uit mijn ogen, steek de straat over en ga het café binnen, maar zie jullie nog steeds niet.

'Café, monsieur?'

'Oui. Merci.'

Ik ga zitten met mijn koffie en mijn gedachten tollen rond, rond, rond. Ik roer met mijn lepeltje in de koffie, rond, rond,

rond. Iemand gaat naast me zitten. Ik kijk op en zie hoe jij je voorover buigt om mijn wang te kussen.

'Hoi', zeg je.

'Hoi, schat. Waar ben je geweest?'

'Ik heb een wandeling gemaakt.'

'Waar?'

'Over de rotsen ten oosten van het strand.'

'O. Heb je al ontbeten?'

'Nee. Jij wel?'

'Nee. Je hebt nog niet gegeten?'

'Dat zei ik net. Ik zal croissantjes bestellen.'

Ik ben sprakeloos en ik keer me naar de straat waar jullie moeten hebben gelopen.

Dan zeg ik: 'Wat zegt het stel over ontrouw?'

'Ze zeggen dat dat uitholt en dat begeerte kan komen en gaan, maar dat liefde blijft bestaan. Dat zelfs begeerte voor elkaar op en af gaat, dat je dat moet weten.'

'Ik begeer jou zeer.'

'Dat weet ik.'

'Wie begeer jij?'

'Jou.'

'En verder?'

'Mannen die ik knap vind. Maar dat heeft niets te betekenen. Ik weet wat belangrijk voor me is.'

'Wat?'

Ik wil het je horen zeggen.

'Jij. Vertrouwen in jou en in mezelf.'

Je pakt mijn hand en kust die.

'Ben je misselijk?'

'Nee. Hoezo?'

'Je geeft 's nachts over, Zacharias.'

'Is dat zo?'

'Ja.'

'Een beetje maar. Een enkele keer. Het zullen de mosselen wel zijn.'

'Misschien. Je hebt rode ogen.'

'Ja.'

'Waarom?'

'Ik weet het niet. Het zout misschien.'

We drinken onze koffie en over de rand van mijn kopje kijk ik naar jou.

'Het komt niet door het zout. Ik heb gehuild. Ik dacht aan kinderen en toen moest ik huilen en nu ben ik niet zo bang meer. Ik wilde je iets vragen, je misschien iets vertellen. Maar ik weet niet meer wat.'

'Weet je dat zeker?'

'Ja. Alleen dat het iets over schuld was. Maar het is weg.'

'Het is weg.'

Je kijkt teleurgesteld. Ik krijg een slecht geweten omdat ik me niet nauwkeuriger uitdruk en ik wil opeens mijn bescheidenheid laten zien, mijn openheid, laten zien hoe ver ik al ben en hoezeer ik op jou vertrouw. Ik wil je laten zien dat ik tot diepe inzichten ben gekomen, dat ik kan huilen en niet meer bang ben.

Ik spreid mijn armen uit. Het is groots bedoeld.

'Ik weet wat! We rijden naar Parijs en gaan bij Effe langs.'

'Effe? Waarom?'

'Ja, dat is een goede vriend van jou en het zou leuk zijn hem te zien. Even wat anders. Misschien zou het voor jou, voor ons allebei, goed zijn om er nu even tussenuit te gaan.'

'Is dat wat jij wilt?'

'Ja.'

'Ik zou het eerst aan monsieur en madame Léchampe willen vragen', zeg jij.

'Het hun vragen?'

'Ja. En afscheid nemen.'

'Mag ik mee?'

'Nee. Ik moet ze iets persoonlijks vragen. Een morele kwestie. Ik denk niet dat ze daar antwoord op zouden willen geven als jij erbij bent.'

'Wat voor vraag is dat dan?'

'Of de waarheid altijd aan het licht moet komen.'

'Weet jij het antwoord?'

'Ja.'

Je laat me weer alleen en net zo verlamd als vanochtend blijf ik met gesloten ogen zitten. Ik sluit mijn ogen, ik zie, ik sluit mijn ogen, ik zie. Ik wou dat ik helder kon zien. Nu weet ik dat het stel echt bestaat, ik heb ze gezien, ze met jou zien praten en jullie in rook zien opgaan. Maar jij wilt niet toegeven dat jullie hier hebben gezeten en je laat me nu niet meegaan. Is dat van jouw kant een spelletje, een manier om je interessant voor te doen, een uitbarsting van je 'labiliteit' waar Felicia het over had? Ik zou zo graag deze liefde voor jou ongedaan willen maken, deze vloek, maar het is net of hoe dieper jij doordringt in je wereld van saga's, des te dieper ik in de mijne doordring, en ik wil deze reis niet missen. Zonder deze reis zou ik het niet hebben overleefd. En nu? Parijs. Effe. Ik zal jullie samen zien en ik zal grootmoedig zijn. Dat zal me goed doen.

De volgende ochtend vertrekken we. Dezelfde weg als we gekomen zijn en ik rij en wanneer we langs de plaats rijden waar het is gebeurd, trillen mijn handen zo dat ik nauwelijks kan rijden. Jij sluit je ogen en legt een hand op mijn dijbeen. Jij slaapt wanneer ik Parijs binnenrij. Nadat we onze bagage in een hotel hebben afgegeven, zoeken we op de kaart de weg naar Effes adres tot we bij zijn portiek aankomen. Een man in een groen pak, een paar jaar ouder dan ik, ontvangt ons voor zijn flat en jullie lachen. Ik kan me niet herinneren wanneer ik je zo mooi heb gezien.

'Saga!'

'Effe!'

'Effe. Dit is Zacharias.'

'Je man?'

'Mijn verkering en mijn beste vriend.'

'Nog beter', zegt hij lachend.

Hij is sympathiek en dat stoort me. Hoe kan ik grootmoedig zijn? Met mijn hand op mijn buik stap ik zijn flat binnen die vol staat met boeken, paperassen, een schrijfmachine, blocnotes, aantekeningen, een computer, naslagwerken en mappen.

'Het is hier niets veranderd', zeg jij, terwijl je rondloopt en in de keuken en de badkamer kijkt.

'Misschien wat meer boeken.'

'Waar ben je mee bezig?' vraag ik geïnteresseerd, matig geïnteresseerd.

'Ik doe onderzoek naar Franse literatuur. Promoveer binnenkort.'

'Interessant. Dus je leest veel boeken?'

'Natuurlijk! Wat lees jij?'

'Voornamelijk stripverhalen. Voor volwassenen, met veel geweld en grove seks. Daar hou ik het meeste van.'

Hij lacht gemaakt. Jij kijkt door me heen.

'Wat vind jij van Saga's boeken?' probeer ik.

'Ik vind dat ze het goed doet. Misschien dat haar taal wat onregelmatig, ongetemd is. Maar kil registrerende literatuur, waarbij het meubilair in een kamer uiterst nauwkeurig wordt beschreven, is niet echt mijn smaak.'

'Maar als een bed bijvoorbeeld gedetailleerd wordt beschreven. Is dat wel goed?'

'Het hangt ervan af wat daar gebeurt', zegt Effe, terwijl hij probeert gemaakt sympathiek te glimlachen, hetgeen mislukt.

Jij ademt zwaar en staat nog steeds in de deuropening van de keuken. Het wordt stil en ik ben bang, bang voor conflicten die kunnen ontstaan, bang om niet te kunnen ontkomen, een ander niet de schuld te kunnen geven, geen tabletten te kunnen krijgen, jouw hand niet vast te mogen houden. Als jij maar naar me toe wilde komen om mijn hand vast te houden, dan zou de stilte niet zo eng zijn, het zou niet zo'n pijn doen! Jij staat nog steeds in de deuropening en ik begrijp niet dat je het niet ziet, dat je niet ziet hoe ik je nodig heb. Je verloochent mij, zoals ik jou zo vaak heb verloochend, en dit is mijn straf, een keer moest die komen.

Maar ik heb genoeg van jouw verwarring, jouw onzekerheid, jouw verdringing, jouw talent dat ik niet goed begrijp of waardeer, je labiliteit, je verdriet, je opvoeding, je vrees, je geluk, je eisen. Ik heb genoeg van de stilte, de messen in mijn eigen buik.

Nu zeg ik: 'Is ze ook naakt in jouw bed gaan liggen? En keek ze je met grote ogen aan? Ben jij ook door de knieën gegaan? Ik ben door de knieën gegaan. Dat doe ik nog steeds en ik weet niet wanneer de bodem bereikt is, wanneer dit voorbij is en ik weer terug mag naar mijn werk om huizen te tekenen en over te werken en geen antwoorden op vragen hoef te geven. Wat ik wil vragen is: is ze ook in jouw bed gaan liggen?'

Ik loop dwars door de kamer, het golft. Er is geen stilte meer, want die heb ik bekleed met woorden die nooit zullen verdwijnen. Woorden die aan onze drie harten vastgeklonken zitten en die nooit weggenomen kunnen worden. Ze zullen dieper doordringen dan woorden van liefde ooit kunnen komen. Ik loop dwars door de kamer heen, dwars door jou heen.

Ik voel het nauwelijks; ik weet niet of ik me ooit zo verdrietig heb gevoeld.

Saga

S Struts

STRUISVOGEL *Afrikaanse vogel (de grootste nu levende ter wereld) zonder vliegvermogen, maar met lange sterke poten*

Ik geloof dat ik mijn besluit neem tijdens die nacht dat we in het licht van Urbans koplampen in het veld zitten te wachten op een ochtend die maar niet wil aanbreken. De nacht is waanzinnig donker, Frankrijk heeft geen Scandinavisch licht, en we zitten met onze rug tegen elkaar aan en ik kan niet praten, niet begrijpen, niet vergeven, niet verklaren. Ik kan niets, want voor de verandering heb ik er deze keer geen woorden voor en dat komt niet vaak voor en zelfs jij lijkt verwonderd over het feit dat ik niets zeg. Ik, die toch altijd dermate veel woorden bezit, ze herschrijf, ze verwerk.

Op dat moment neem ik mijn besluit.

De volgende ochtend nemen we onze intrek in een hotel en terwijl ik de kamer regel, zie ik hoe jij buiten op straat staat te kijken naar de wond in de lak van de auto, beschadigd tot in zijn gele kleur. Hoe kan ik je helpen? Hoe kan ik het besluit begrijpen dat jij hebt genomen, in het donker met je handen in je kruis? Maar mijn keuze is op jou gevallen, ik heb ervoor gekozen jou niet in de steek te laten. Want ik herinner me het bord dat bij Britts huis stond: VERBODEN TOEGANG VOOR

VERRADERS. Britt zei altijd: 'Vertrouw op mij. Wees vóór me of tegen me.'

Ik kon niet op haar vertrouwen, de omstandigheden dwongen mij ertoe dat ik tegen haar was. Maar ze deed iets ongebruikelijks, ook al was het angstaanjagend: ze vroeg me stelling te nemen, iets wat jij noch ik hebben gedaan. Nooit hebben we durven zeggen: 'Vertrouw op mij. Wees vóór me of tegen me.'

We waren wankelmoedig. Toen de liefde sterk was en de begeerte ook, hebben we liefgehad met al onze kracht en dat was een groot geluk – mijn grootste geluk – maar toen kwam het verdriet en ik dacht dat het geluk verdween, terwijl het in werkelijkheid toen had kunnen beginnen. We hebben nooit eisen durven stellen, vertrouwen in elkaar durven hebben. We waren net verwende, weifelende kinderen die anderen de schuld gaven voor hun eigen onmacht, terwijl we ieder in ons eigen hoekje van de kamer ons lot betreurden. Slachtoffers. Jij met droge ogen en je blik gericht op de luxaflex. Ik in een versleten ochtendjas gereduceerd tot niets, met OPOFFERING op de rug geborduurd, een woord dat van mij een vrouw zonder middel of doel maakte. Alleen die versleten, roodbehuilde blik die op jouw blote rug was gefixeerd, die ik met mijn afgekloven nagels tot bloedens toe krabde. Als iemand mij had gevraagd wat ik deed, zou ik hebben geantwoord: 'Ik probeer mee te helpen. Opofferend te wezen en er te zijn. Ik vul de diepvries voor toekomstige behoeftes, ook al is er op drie minuten afstand een winkel, ik bak voor hem, ik maak schoon en veeg en organiseer etentjes. Zien jullie dat niet? Ooit moet hij toch een keer blij worden, wakker worden, en dan zal hij mij zien, mij liefhebben en zien wat ik voor hem heb gedaan. Dan moet ik er zijn, wanneer hij wakker wordt.'

Vervolgens zou ik mijn neus in mijn ochtendjas hebben gesnoten en dapper hebben gekeken, na maanden van totale onthouding waarbij iedere liefkozing van jouw kant met grenzeloze dankbaarheid werd aanvaard. Als een hond.

De gedachte doet me rillen, ik walg van mezelf, van de persoon waarin ik mezelf heb getransformeerd, hoe ik mij keer op keer door jou kon laten verloochenen zonder mijn stem zelfs maar te verheffen. Het beeld dat me voor de geest staat is dit:

Jij praat met iemand, misschien met een vrouw, en hebt het snoer van de telefoon om je lichaam gedraaid, terwijl ik neerzak onder de jassen in de hal en mijn hand voor mijn mond houd om het niet uit te schreeuwen. Net als alle andere keren heb ik me mijn eigen verantwoordelijkheid ontnomen en erop gewacht dat er iemand op het toneel zou verschijnen die alles in orde zou brengen. Mij zou helpen, mij zou redden zodat ik een ander leven kreeg, mij een sleutel zou geven waar THUIS op stond. Ik wachtte op een Felicia die aan Britts deur zou aanbellen en huilend mijn koffers zou pakken, terwijl ik verward toekeek, nog steeds met die afgrijselijke bewondering voor Britt. Mijn vertrouwen had ze beknot en ik liet dat gebeuren; ik vond de vernedering bijna aangenaam en er waren momenten dat ik haar nooit wilde verlaten. De onzekerheid werd mijn zekerheid. Neem mij die niet af!

Toen ik jou ontmoette, dacht ik dat ik eindelijk helder zag, dat ik degene was die het geluk koos, dat ik dat werkelijk tegemoet ging. Dat deed ik ook wel, maar vervolgens ging ik ontkleed en met naakte ogen in jouw bed liggen, zodat je me kon redden en daarna kon aankleden als een pop. Zoals zo veel andere vrouwen heb ik mijn eigen kracht getemd en daardoor ook die van jou uitgehold, jou vermoeid, vervuld van een slecht geweten over het feit dat je nooit toereikend was. Terwijl ik zoveel voelde, terwijl ik het patent op alle gevoelens had, mocht jij toekijken zodat er voor jou geen gevoelens meer over waren toen jij het verdriet over je geleden verliezen moest ontwarren. Het enige wat er over was, waren sterkte en een ijzige kilte; die kreeg jij. Ik werd de vrouw-die-er-is-voor-anderen. Nee, niet alles is mijn schuld, alleen datgene waarin ik mezelf heb getransformeerd. Ik moet proberen het te begrijpen. Ik heb mijn besluit genomen, diezelfde nacht, op een veld dat werd verlicht door het schijnsel van koplampen, met jouw rug strak en stijf tegen de mijne, met mijn bloed stromend langs mijn trillende lichaam. Geweten.

Ik zie hoe je de auto inspecteert en ik zou zo graag willen dat je mij een leidraad kon geven, een sleutel, zodat ik begrijp hoe ik in het vervolg moet handelen. Hoe kan ik je anders bereiken, zonder medelijden, zonder vieze ochtendjassen, zonder tranen en gelatenheid? Hoe moet ik je bereiken, zoals een sterk mens een ander bereikt?

'We kunnen onze kamer in', roep ik, terwijl ik naar de portier glimlach alsof ik wil zeggen dat ik sterk genoeg ben om zelf de koffers te dragen, zelf de auto te dragen.

Jij volgt zwijgend. Eenmaal op onze kamer aangekomen betrap ik mezelf erop dat ik uit gewoonte ook jouw kleren wil uitpakken, maar ik houd me in. Wie ben ik? Jouw vriendin, ooit jouw minnares, maar nooit je moeder. Ik kleed me uit en ga voor het raam staan en het klopt onder mijn oog en de wond op mijn schouder doet vreselijk pijn wanneer ik me beweeg.

'Heb je pijn?' vraag jij.

'Nee. Hoezo?'

Ik wil zeggen dat ik me wel red, dat je je niet ongerust hoeft te maken, dat jij je beter om je eigen schuldgevoel kunt bekommeren.

'Wil je erover praten?' vraag je weer.

Ik wil dat je het bij zijn naam noemt, ik wil dat je het keer op keer zegt, voor de verandering een keer de waarheid spreekt. Ik kijk in je ogen, ik probeer recht door je heen te kijken wanneer ik antwoord: 'Waarover?'

Waarover? Vertel me, vertel me alles wat er is gebeurd, zeg wie er reed, vertel me wat er daarna is gebeurd, zeg iets! Maar jij zwijgt en je gaat op het bed liggen en keert je blik naar het plafond en weigert erover te praten en ik weiger te huilen, te schreeuwen, te vragen of je je open wilt stellen. Ik weiger en mijn besluit is onomkeerbaar. Nooit meer.

Ergens ben ik boos, ik voel schuld, verdriet, begeerte, liefde. Ik voel alles tegelijkertijd en wanneer ik me van het raam afkeer naar jou toe, zie ik voor het eerst in vele maanden dat je mij ziet, dat je mijn naakte lichaam ziet – de betekenis daarvan. Jij strekt je armen uit en ik ga boven op je liggen en om jouw sterke lichaam onder het mijne te voelen is een groter genot dan ik voor mogelijk had gehouden. De begeerte is groter dan ooit en het is alsof de dood de liefde dichterbij brengt. Alsof we als levende doden hebben geleefd en opeens weer levende levenden zijn geworden. Mijn lichaam gaat onder jou kapot en ik wil je vasthouden tot jij stukgaat. Ik hoor niets, zie niets, ik voel alleen jouw lichaam in het mijne en ik denk: hier kan ik voor leven. Nu kan ik sterk zijn. De beslissing is aan mij.

En we slapen naast elkaar in en de liefde is nieuw, ze duurt al enkele jaren en jouw gezicht ziet er zo jong en zacht uit naast dat van mij en ik weet dat ik je van al je maskers zal moeten ontdoen, je mee moet nemen van A naar Ö en daarna weer opnieuw beginnen. Opnieuw beginnen moet kunnen; aan ons is de keus.

Maar wanneer de duisternis komt, komt ook de angst. Het gebeurt weer, ik zie alles. Ik zie het gebeuren: jij bestuurt de auto en je ogen glinsteren, je bent erg moe, net als ik. We rijden al een eeuwigheid en we hebben geen doel, behalve een naam op de kaart: ÉTRETAT. We zijn er bijna, het is nooit een THUIS, en alles zal opnieuw beginnen: Coca-Cola, uitzichten, plaatjes, toeristen, foto's, stilte, ongereptheid en ik weet niet of ik het nog volhoud. Ik zie hoe iets naderbij komt, er loopt iemand midden op de weg – iemand kan toch niet midden op de weg lopen? – midden in de nacht, midden in het leven. Jij ziet eruit alsof je slaapt, je houdt met één hand het stuur vast en het gaspedaal is bijna helemaal ingetrapt, maar ik weet niet of je er met je hoofd wel bij bent, of je ziet wat er gebeurt. Het is net alsof je gehypnotiseerd bent en ik kan niet gillen, mij niet uit mijn bevroren positie losmaken, totdat ik uiteindelijk mijn eigen stem hoor, mijn eigen kreet: 'Stop!'

Ik voel pijn en ik heb bloed in mijn mond, ik tril, ik spuug iets uit en ik weet niet wat het is. Het portier staat open en op de weg ligt een man met opengesperde ogen. Zijn nek ligt schuin achterover. Wat een vreemde houding. Ik kijk naar hem. Zijn sportschoenen zijn gloednieuw, er staat Nike op. Ik heb een vriend die Nike heet. Betekent dat iets? Ik pak zijn voeten beet en trek hem van de weg af, de sloot in. Hij kan toch zo niet op de weg liggen! Wat gek.

Ik neem aan dat ik in een shock verkeer. Ik doe dingen en mijn lichaam beweegt als in opdracht. Alsof ik dood ben en ik kijk naar mijn lichaam dat de bewegingen uitvoert, terwijl ik zelf op weg ben naar de hemel. Ik sta in het licht van de koplampen en nu pas dringt tot me door dat jij weg bent.

'Zacharias? Zacharias!'

Ik ren het bos in en al het oude verdriet welt op, de smaak daarvan, de kleuren van de kleren die ik droeg op de dag dat opa en oma de deur opendeden voor de man van de luchtvaartmaatschappij. Ik droeg een gele jurk, Felicia een blauwe en ik was acht jaar en papa en mama's vliegtuig was in zee verdwenen. De roodharige piloot vloog verkeerd en nu wonen ze in zee; daar zwemmen ze. Ik schreeuw en het bos vangt de echo op van mijn eigen stem en ik schreeuw tegen God, tegen de Duivel, tegen mama, tegen papa, tegen het lot, schreeuw dat het de bedoeling is dat jullie mij helpen, dat Zacharias niet verdwenen mag zijn, niet nog iemand, nog iemand kan ik niet aan! Dankaniknietleven. KAN IK NIET LEVEN. Het bos weerkaatst mijn kreet en ik heb het gevoel dat ik naar binnen schreeuw, alsof mijn mond binnenstebuiten zit en het echoot in mijn lichaam iedere keer dat ik ademhaal, iedere keer dat ik schreeuw.

'Zacharias!'

En ik hoor jou: 'Dat ben ik. Dat moet ik wel zijn.'

Ik vind je onder een boom. Je ligt languit voorover op je buik, met je handen in je kruis en je hebt een wond aan je hoofd die nog steeds bloedt. Ik tril en ik praat, vertel wat er is gebeurd, misschien is het niet zo samenhangend, ik geloof niet dat je het begrijpt, dat je luistert naar wat ik zeg. Dat je het gewoon niet begrijpt. Ik neem je gezicht tussen mijn handen en ik geef je een klap op je wang zodat je me aankijkt.

'Wat hebben we gedaan?' schreeuw ik.

'Wij?'

'Ja.'

En van ergens diep in je binnenste, vanuit de jaren waar ik zo weinig van afweet, van de keren dat je buikpijn had en je afsloot: 'Jij bent ergens tegenaan gereden.'

Je zegt het als een kind dat met zijn handen in de koekjestrommel is blijven steken op het moment dat zijn moeder binnenkomt en vraagt wat er gebeurt: ik was het niet. Het was de koekjestrommel.

En nu dit. 'Jij bent ergens tegenaan gereden', zeg je, terwijl je gaat staan, opeens weer in leven en ik begrijp het niet en ik fluister: 'Ik?'

Ik tril en ga op de grond liggen, mijn benen kunnen mij niet dragen en ik denk: nee. Niet nog meer leugens, dat niet. Dat kan ik niet aan.

Maar dan: je leeft, ik heb je teruggekregen. Zacharias leeft, wij leven. We moeten hier doorheen. Het lukt me wel.

Jij draagt mij terug en spoelt de auto af, jij neemt alle initiatieven en niemand zegt iets over de politie bellen of op deze plek blijven tot er iemand komt. We rijden de auto naar een veld en vervolgens zitten we de hele nacht rug aan rug, een nacht die net zo lang is als de nacht nadat papa en mama waren verdwenen. Hetzelfde verdriet, maar nu ben ik volwassen en ik heb net mijn eerste volwassen besluit genomen: 'Ik zal leven. Ik zal leven en ik zal overleven.'

En terwijl jij stokstijf zit, je onbewust van iets anders dan je eigen duisternis, fluister ik tegen jou: 'Met of tegen mij. We moeten op elkaar vertrouwen.'

Ik baad in het zweet en jij slaapt aan mijn zijde, helemaal rustig met jouw hand in de mijne en ik zou bijna willen dat ik niet zo vreselijk van je hield.

Maar nu begint het.

T Tillit

TILLIET *(geol.) tot vast gesteente verharde morene*

Kan ik je in de werkelijkheid begrijpen? Kan ik je werkelijk zien zoals je bent, niet zoals je je presenteert, niet zoals ik jou presenteer, niet zoals de wereld wil dat je bent? Zit de echte Zacharias ergens in een kast die opengaat wanneer het leven afgelopen is? Een unieke Zacharias, degene die je vanaf je geboorte voorbestemd was te worden? Uit de kast zou een man tevoorschijn stappen die jou zou aankijken en zeggen: 'Dus zo heb je je leven geleefd. Ik had vast andere keuzes gemaakt, om andere dingen gevraagd. Maar dat geeft niet. Je bent nu weer thuis en je hebt geen schuld, je bent totaal onbedorven, net als ik, en nu zijn we weer samen. Wat rest is genade.'

En je zou tegen je eigen schouder huilen, je bloedige handen zouden zwaar tegen je dijen hangen en je gebalde vuisten zouden zich langzaam ontspannen. Maar dit bestaat niet in de echte wereld. Het begrip ontbreekt.

Ik heb zo veel verschillende persoonlijkheden geschapen, zo veel alter ego's die ik heb gecreëerd in de hoop mezelf en anderen te kunnen zíén, niet om te worden gezien of zichtbaar te zijn. Ik wilde mezelf zo graag zien en tijdens dat proces heb ik steeds weer geschreven en beschreven. Vanuit alle denkbare invalshoeken heb ik mijn eigen leven en dat van anderen behandeld, alleen maar om tot de ontdekking te komen dat ik uit een relatie geboren ben en dat ik een zinnige relatie tot een ander mens en vooral tot mezelf mis. Niet alleen jij hebt mij verloochend: ook ikzelf heb dat gedaan. Keer op keer heb ik mijn eigen kracht verloochend, het leven verloochend en telkens weer de dood gekozen. Ik heb een aantal impasses gecreëerd om het leven op afstand te houden, net zoals jij hebt gedaan.

Nee, ik weet niet wie jij bent. Ik ben niet verliefd op je geworden omdat ik meende te weten wie jij was. Ik houd niet van je vanwege je fantastische eigenschappen, je hobby's, omdat we zo op elkaar lijken, we elkaar zo mooi aanvullen. Ik houd van je omdat ik daarvoor heb gekozen, omdat ik mijn mond opendeed en jij hoorde wat ik zei: 'Ik vertrouw op jou. Ik sta achter je.'

Ik sta achter je met je onmacht, met je gebrek aan identiteit, met je buikpijn, met je messen, met je verloochening, met je leugens. Achter je, niet tegenover je. En vooral: achter mezelf, achter het leven, voor het eerst sinds ik acht jaar was.

Jij hebt afstand genomen van het leven. Er gebeurde iets, je vertrouwen werd door iemand uitgeput en je liet dat gebeuren. Vandaag de dag weet je amper wie het was, wat die persoon deed, je lijdt aan een bevrijdende vergeetachtigheid die je meer blokkeert dan een herinnering zou doen.

Je wordt 's nachts wakker, loopt naar de badkamer en ik sta voor de deur en hoor je al het voedsel dat we in het restaurant op de hoek hebben gegeten uitbraken. Je geeft de mosselen de schuld, hoewel je geen mosselen hebt gegeten.

'Schuif de schuld op iets anders.'

Wie heeft dat gezegd? Iemand heeft tegen je gezegd dat je de schuld op iets anders moest schuiven, hopend op een perfect leven zonder conflicten. In dat perfecte leven heb ik met genoegen mijn plaats ingenomen. Ik zag mezelf als de echtgenote van Zacharias, ik zag nooit Zacharias' buik – wat daar de betekenis van was. Ik wilde daar niets mee te maken hebben; ik wilde Geluk en dat spelde ik met een hoofdletter. En nu is de schuld op mij gevallen. Niet alleen mijn eigen schuld, vanwege mijn lafheid, maar de schuld die ook jij had moeten dragen. Hoe kon je?

Nu sta ik 's nachts voor de deur van de badkamer, me ervan bewust dat ik je niet van achteren moet besluipen omdat je dan altijd opschrikt alsof ik je een klap heb gegeven. Ik mag niet op de deur bonzen, ik mag niet schreeuwen, je geen verwijten maken. Het spel zit zo in elkaar dat ik bijna moet doen alsof er niets is gebeurd. Ik mag niets zeggen, want dan herinner jij je niets en kan ik je nog moeilijker bereiken. Wanneer je klaar bent, ga je onder de douche staan, ik kom erbij en ga tegenover je staan, terwijl het water langs onze schouders loopt. Jij staat met gesloten ogen en bent lijkbleek. Ik zeg, zoals ik eerder heb gedaan: 'Ik hou van je. Ik hou van je. Ik hou van je.'

En jij klinkt als een kind wanneer je zegt: 'Dank je. Hou van me om wie ik ben. Dat is het enige wat ik wil.'

'Dat doe ik ook.'

En dan schud je je hoofd, leun je achterover en spoel je met open mond je gezicht af, alsof je gezuiverd wordt. Daarna lach je verlegen.

'Ik moet iets verkeerds hebben gegeten.'

'Misschien is dat het.'

'Nu heb ik er een puinhoop van gemaakt.'

'Helemaal niet. Ik wilde toch gaan douchen.'

'Ik hou zoveel van je, Saga. Omdat je achter me staat. Er is iets wat ik je zo graag zou willen vertellen, maar ik weet niet meer wat het is. Het is iets met schuldgevoel. Misschien zou ik dat niet moeten hebben?'

'Vertel het maar wanneer je eraan toe bent. Misschien zijn we er nog niet klaar voor.'

'Je bent veranderd. Het is alsof jij verantwoordelijk bent voor mij.'

'Dat ben ik ook. Ik ben verantwoordelijk voor mezelf.'

Daarna stop ik jou in bed en in de ochtenduren zit ik naakt voor het raam naar buiten te kijken. Er moeten zo veel besluiten worden genomen, voor jou en voor mij. Hoe moeten we een uitweg vinden?

Overdag is het anders, zekerder, wakker, op een normale manier verward, en ik ben tot het inzicht gekomen dat dat komt omdat jij overtuigd bent van mijn schuld en dat je mij daartegen beschermt. Jij denkt dat je mij moet verzorgen zodat ik niet kapotga. Jij denkt dat ik overvallen ben door een verdriet dat mij sprakeloos en vergeetachtig heeft gemaakt. Dat de dood van mijn ouders werd herhaald en mij in een shocktoestand heeft gebracht. Je vraagt mij of ik de rol van verwarde wil spelen, terwijl jij zelf de geweldige speelt. Jij hebt de verantwoordelijkheid van Felicia op je genomen en bent bereid mijn koffer te pakken als dat nodig mocht zijn. Dat zal niet nodig zijn.

Ik ga naar buiten, het zonlicht in, dat zo in mijn ogen prikt dat ze ervan beginnen te tranen, misschien ben ik ergens allergisch voor. Straat in, straat uit loop ik. Étretat is niet groot, recht voor me ligt het strand, achter me de weg waarlangs we zijn gekomen, het bos, de slingerende paden, het veld, de koplampen, de man, de gebroken nek, opnieuw de zon. Rechts en links van mij zijn restaurants en terrassen, een vrij chic casino ligt aan het strand. Aan beide kanten van het strand verheffen zich enorme rotsformaties van een of ander wit gesteente, waarover je wel hoort wanneer iemand zegt: *'Have you seen the white cliffs of Dover?'*

Nee, dat heb ik niet, maar ik bevind me in Étretat en deze rotsen lijken op het beeld dat ik in mijn fantasie heb geschapen van de rotsen in Dover. Een hoge rots staat eenzaam in het water, verstoten door de rest toen de wind en het water zich langzaam door het gesteente aten, dat de rots ten slotte losliet. Eenzaam staat de rots daar en rond de top cirkelen vogels, zoals mijn eigen gedachten. Links van het strand klim ik omhoog, in de richting van een golfbaan en enkele schapen die tussen de ballen staan te grazen. Ik ga op de hoogste top van de rotsen zitten en word bijna duizelig, leun achterover en de hemel valt over mijn gezicht en maakt mijn ogen nog blauwer. Rust.

In mijn slaap hoor ik een stem: 'Bonjour!'

Ik ga met een ruk rechtop zitten. Voor mij staat een stel van een jaar of vijftig, zestig. Zij gekleed in een pakje dat eruitziet als iets uit de late jaren vijftig, haar haren in een bijpassend kapsel. Hij draagt een mooi zomerkostuum, een beetje ouderwets, in de stijl van de Great Gatsby.

'Bonjour', zeg ik verlegen, terwijl ik de slaap uit mijn ogen wrijf.

'We dachten dat je in slaap was gevallen en wilden je waarschuwen voor iedereen die hier een wandeling maakt en je misschien niet ziet liggen in het hoge gras. Wij deden dat namelijk ook een keer en werden wakker van een golfbal tegen ons hoofd en vervolgens werd daar een hond achteraan gestuurd! Dat was een rare manier van wakker worden', zegt de vrouw.

Ze lachen en ik lach ook. Hoelang heb ik geslapen?

Ze gaan naast me zitten en de man strekt zijn hand uit.

'Ik ben Philippe Léchampe. Dit is mijn vrouw Françoise.'

'Ik ben Saga. Ik kom uit Zweden en ben hier op vakantie met mijn vriend Zacharias.'

Ik vertel over de reis en ze luisteren geïnteresseerd en stellen vervolgens voor om koffie te gaan drinken in het dorp. Wanneer we het pad aflopen, krijg ik het vreemde gevoel dat ik ze eerder heb gezien, tot ik me opeens realiseer dat ze op mijn ouders lijken, op mijn herinnering aan hen. Ik herinner me mijn ouders alleen in zwart-wit, er zijn geen kleurenfoto's. Ik heb ook geen herinneringen aan hen in beweging, alleen korte fragmenten, waarna ze tot een stilstaand beeld bevriezen. Soms zie ik hoe mijn moeder de deur voor me opendoet, soms komt mijn vader uit de garage, maar ze bewegen zich vreemd schokkerig, bijna alsof ze gesommeerd worden en het maakt niet uit hoe vaak ik tegen mezelf zeg dat ik moet ophouden mijn herinneringen te sturen, ze kunnen zich nooit natuurlijk bewegen. Dit stel lijkt niettemin op mijn ouders, in kleur en volop in beweging en als ze ouder hadden mogen worden. Ze zouden tegenwoordig ongeveer deze leeftijd hebben gehad. Ik vraag me af waar we over gepraat zouden hebben, of we nu een kop koffie zouden hebben genomen. Zou ik het hun verteld hebben?

Monsieur Léchampe zegt, hij zegt het zoals mijn vader het zou hebben gezegd: 'Vertel over Zacharias.'

'Hij is. Hij is lang, warm en knap. Hij lacht veel en hij heeft mij het grootste geluk geschonken, en ik hem het zijne.'

'En toen?'

'Toen veranderde dat. Er kwam iets tussen.'

Hij kijkt mij vragend aan.

'We kunnen geen kinderen krijgen.'

'Dat is heel verdrietig', zegt Françoise, terwijl ze mijn haar aanraakt, vederlicht.

'Hebben jullie kinderen?' vraag ik.

Ze kijken elkaar aan en hij zegt: 'We kwamen er als het ware nooit aan toe. Er kwamen andere dingen tussen. Maar jullie? Zijn jullie toch gelukkig?'

'Ik weet het niet. Wel en niet. Er zijn omstandigheden die het moeilijker maken.'

'Wat voor omstandigheden?'

'Ik geloof niet dat ik dat kan vertellen.'

'Pardon, mademoiselle. Dat was onbeleefd van mij', zegt hij, terwijl hij zijn hoofd laat zakken alsof hij zo zijn eigen gebrek aan tact wil verontschuldigen.

Ik geloof niet dat ik het kan vertellen, ik geloof ook niet dat ik kan zwijgen. Ik ga gebukt onder mijn vermoeidheid en ik weet niet hoe ik het moet opbrengen om dit alleen te ontwarren. Ik zou zo graag weer acht jaar willen zijn en alles aan mijn ouders kunnen opbiechten. Maar aan twee vreemdelingen vertel je niet over de vakantie die ons moest herstellen, maar die zo vreemd is verlopen dat hij drie mensen heeft kapotgemaakt. Was ik toch maar achtentwintig jaar en kon ik maar met mijn ouders praten als een volwassene met twee andere volwassenen. Kon ik mij maar over de tafel buigen om te zeggen: 'Ik zit in een vreselijke, gecompliceerde situatie. Mijn geliefde denkt dat ik gek ben en ik denk dat hij ziek is geworden omdat hij een ander de schuld geeft. Als ik weg kon gaan, dan deed ik dat, maar ik hou zoveel van hem en ik heb besloten te leven.'

Precies zo zeg ik het.

'Wat is er gebeurd?'

'We hebben een man aangereden. Midden in de nacht. Zacharias reed, maar hij denkt dat ik het was en hij gaat nu op geen enkele manier met het schuldgevoel aan de slag, maar hij heeft 's nachts verschrikkelijke pijnen. Zo'n pijn dat hij ervan overgeeft en ik weet niet wat er met hem is gebeurd. Het klinkt ongelooflijk, jullie moeten me dat maar vergeven.'

Het wordt stil. Goeie genade, wat heb ik gedaan?

'Lieten jullie de man daar achter?'

Ik knik. Ik ben misselijk en tast naar het koffielepeltje om daar zenuwachtig mee te gaan zitten spelen.

'Hij was al dood. Ik wist het niet, kon het niet. Ik hield zoveel van hem, hij was zo in de war.'

'Ik begrijp het', zegt ze terwijl ze haar man aankijkt. 'Wij verwijten jullie niets. Wat gebeurd is, is gebeurd. Ga door.'

'Nu kijken we naar elkaar om te zien of we elkaar kunnen ontmaskeren. Omdat hij denkt dat ik labiel ben, sluipt hij op zijn tenen rond, terwijl hij tegelijkertijd zijn eigen verantwoordelijkheid afwijst. Zelf herinnert hij zich niets van zijn aandeel in het ongeluk. Maar hij heeft pijn. Ik kan het niet verdragen.'

'Er moet meer aan de hand zijn. Iets wat hem eerder is overkomen, dat tot gevolg heeft dat hij zich zo gedraagt. Dat hij zijn schuld verdringt.'

'Ja. Ik kan er alleen maar naar gissen.'

'Misschien kun je hem aan de praat krijgen. Zorgen dat hij het zich herinnert.'

'Hoe?'

'Door hem te laten praten over iemand anders dan zichzelf. Zodat het niet zo eng is. Over ons bijvoorbeeld. Gebruik ons als een stel dat jullie zelf zouden kunnen zijn. Vraag hem of hij wil vertellen over de man van het stel, over zijn leven, over wat er met hem is gebeurd', zegt Philippe.

'Dat zijn psychologische experimenten. Ik hou gewoon van hem.'

'Juist daarom is het belangrijk', zegt zij terwijl ze zich naar mij toe buigt. 'Juist om die reden.'

'Maar hoe moet ik hem het ongeluk laten herinneren? Dat hij het was?'

'Je kunt dit zeggen: ik heb vandaag een stel ontmoet. Ze hebben me een geheim verteld. Ze hebben een man aangereden. Ze hebben zijn nek gebroken', zegt hij.

Madame Léchampe schrikt op, alsof ze haar eigen nek breekt, en opeens wordt het kil rond de tafel en monsieur Léchampe trekt zijn schouders op. De wind draait.

'Het was maar een idee', zegt hij.

'We zouden dit niet moeten zeggen tegen een vrouw die we niet kennen.'

'Dat mag best. Ik ben blij met jullie hulp. Kunnen we elkaar morgen weer ontmoeten om verder te praten? Mag ik Zacharias meenemen?'

'Wacht daar nog mee. Ik denk dat jullie dit zelf moeten ontwarren.'

We nemen afscheid en ik voel me vreemd opgelucht en ben geroerd wanneer zij mij omhelst en fluistert: 'Het komt wel goed.'

Ik kijk ze na wanneer ze de straat uitlopen en besef dat ze rechtstreeks naar de politie zouden kunnen gaan. Dat hun misschien gevraagd is om met mij te praten en uit te zoeken waarom die oude gele Renault zo'n vreemde, verse wond in zijn lak heeft. Ik roep ze na en ze keren zich precies tegelijkertijd om en ik voel een steek vanbinnen, omdat ze zo verschrikkelijk veel op mijn ouders lijken. Hij roept: 'Maak je geen zorgen. Vertrouw op ons!'

En ik zwaai opgelucht en kijk op mijn horloge en realiseer me dat ik zes uren ben weggeweest en ik ren terug naar onze kamer en naar jou. Jij ligt in de lakens gewikkeld en bent doornat van het zweet. Je kijkt mij aan en vermant je om de sterke te zijn.

'Hoe voel je je?'

'Ik voel me goed', fluister ik. 'Ik heb naar je verlangd.'

'En ik naar jou.'

We leunen met ons voorhoofd tegen elkaar en ik zou nergens anders willen zijn, ondanks deze onmogelijke situatie.

's Avonds lig ik op mijn zij om mijn boek te lezen. Ik hoor mezelf zeggen, het is alsof er iemand anders via mijn mond spreekt: 'Ik heb vandaag een stel ontmoet.'

'Een stel?'

'Ja. Een Frans stel. Monsieur en madame Léchampe.'

Ik weet niet hoe dit zal eindigen, of dit maar één richting uit kan of dat er meerdere richtingen zijn, of de waarheid het enige wapen is dat ik heb.

Ik weet niet meer dan jullie. Alleen dat er geen weg terug is.

U Utopi

UTOPIE *(maatschappelijke) verhoudingen waarvan men droomt (zo ideaal dat ze nauwelijks te verwezenlijken zijn)*

Overleven. Te overleven. Ik weet niet of ik juist handel; alleen dat het noodzakelijk is. De weken zijn verstreken en ik heb het stel bijna dagelijks ontmoet in hun witte huis dat wat verderop langs de weg is gelegen, of in een café in het dorp. Ik kom altijd alleen. Het is alsof ik hen jaloers bewaak, als een kind dat zijn ouders voor zichzelf wil hebben. Hun huis is mooi en ligt op een verhoging zodat je het strand en de witte verweerde rotsen kunt zien. Soms meen ik dat ik jou in je korte spijkerbroek naar het strand zie lopen, maar er zijn zo veel mannen die op jou lijken dat ik ervan in de war raak. Soms heb ik een slecht geweten: voor wie ben ik hier eigenlijk? Is het voor jou, om hulp voor jou te krijgen? Of zijn het mijn eigen vertwijfeling, mijn eigen schuldgevoel en gebrek aan daadkracht die er de oorzaak van zijn dat ik dag in, dag uit hiernaartoe word getrokken? Om uit te zoeken waarom ik zo verlamd raak wanneer ik met een conflict te maken krijg? En toch ben ik veranderd, want ik weiger me op te offeren en ik leef meer en meer voor mezelf, voor mijn eigen geluk, voor mijn eigen vertrouwen.

We praten vaak over schuldgevoel. Hoe je daarmee om

moet gaan. En of ik de waarheid moet vertellen; hoelang moet je daarmee wachten?

'Je hebt direct handelen waarschijnlijk vaak vermeden, of niet?' vraag Françoise terwijl we onze vijfde kop koffie van die ochtend drinken.

'Inderdaad. Ik was bang, als een kind dat denkt dat als je je maar niet verroert, als je je adem inhoudt en je tranen inslikt, het dan weggaat en dat daarna alles weer goed komt.'

'Maar het kwam niet goed.'

'Ik geloof het niet.'

'Heeft je zus niet gezegd dat dat zo was?'

'Mijn zus? Heb ik over Felicia verteld?'

Ze kijken elkaar aan en dan beginnen ze te lachen en zij neemt de koffiekan mee om die bij te vullen. Er is iets vreemds met onze gesprekken, het is alsof zij me steeds een stap voor zijn, altijd dingen weten die ze nauwelijks kunnen weten. Dat stoort me. Ik voel me niet op mijn gemak en pak mijn spullen bij elkaar.

'Moet je nu al weg?'

'Ik heb Zacharias beloofd dat ik ook naar het strand zou komen.'

En voeg eraan toe: 'Als jullie dat tenminste interesseert!'

'Het is niet verkeerd om boos te zijn, maar ik denk dat je het op de verkeerde persoon richt', zegt Françoise, die in de deuropening staat te glimlachen, als een inschikkelijke moeder tegenover haar tienerdochter.

'Sorry. Ik schaam me. Ik weet niet wat me bezielde.'

Terwijl ik de weg afren, slaat mijn tas tegen mijn dijbeen en de zon staat al hoog aan de hemel. Bij iedere stap die ik zet, doen Philippe en Françoise steeds onwerkelijker aan; het is net of ze verdwijnen wanneer ik niet naar ze kijk.

Ik zie je van een afstand over het strand aan komen lopen. Jij ziet er niet anders uit. Jij ziet er niet uit of je aangedaan of geschokt bent of dat er deze weken iets met ons is gebeurd, behalve dan dat onze lichamen bruiner zijn geworden en zich 's nachts naar elkaar toe bewegen. Wij zijn een stel vakantiegangers, niet twee mensen die op een door koplampen verlichte weg de nek van een man hebben gebroken. Wij hebben een ander mens gedood en ik draag een schuld die net zo zwaar is als een man van tachtig kilo op mijn in badpak gestoken schouders. Net zoals de roodharige piloot verkeerd vloog boven open zee, stuurden wij verkeerd op een geasfalteerde weg. Er liep een man midden op de weg, alsof hij uit het asfalt was opgestaan en er vervolgens weer in teruggleed. Het was onwerkelijk, terwijl de dood tegelijkertijd werkelijker was dan mijn hele leven bij elkaar. Waar komt mijn levenslust dan vandaan? Ik heb nog nooit eerder zo'n zin gehad om te leven. Het is alsof Saga en Zacharias daar stierven, stierven samen met de man met de gebroken nek, en daarna werd ik weer wakker in een bos en ik vond jou en eindelijk waren we weer levend. Maar de man kwam niet tot leven. We lieten hem daar in het bos achter en met die keuze ben ik gedwongen verder te leven.

Ik zie hoe je naderbij komt, maar vervolgens afslaat in de richting van een van de paden die naar de grotten voeren die door het getij zijn uitgehold. In de grotten staan waarschuwingsborden voor het getij en er staat ook op waar je tabellen kunt halen om te controleren wanneer je geen risico loopt. Wanneer je de grotten ingaat, kom je aan de andere kant van de rots weer naar buiten, op een nieuw strand, en daarheen moet jij op weg zijn. Ik klauter achter je aan en loop de grot in en roep je naam. Het ruikt bedompt, naar zeewier, en je bent nergens te bekennen. Ik loop in het duister en daar, daar! is het licht en ik loop van de duisternis naar het licht en wanneer ik aan de andere kant het pad afloop, lig jij al met een lunchpakket op het stenige strand op mij te wachten. Ik ren naar je toe en we kussen elkaar en jij trekt me neer tussen de stenen en gaat boven op mij liggen. De stenen schuren tegen mijn rug en ik rol rond met mijn armen om jou heen en we blijven rollen en er bestaat geen jij, geen ik: alleen deze rollende massa wij.

We praten en jij vraagt zoals gewoonlijk naar het stel en ik vraag je of je over de man wilt vertellen en dat doe je, je vertelt over de tijd in het huis waar mama zich overal mee bemoeide en papa zich niet vermoeide. Het kan niet anders of je weet dat je over jezelf vertelt, maar toch klink je verbaasd wanneer je praat. Je geeft mij de sleutels van verschillende kamers, maar er is er geen bij die past op de kamer die in het hart van het huis ligt en ik weet niet of dit spel niet meer schade aanricht dan dat het nuttig is. We komen niet verder. Het wordt stil, de golven slaan tegen het strand en ik weet dat ik iets moet zeggen.

'Zacharias, ik...'

'Ik weet wat!'

Jij spreidt je armen uit en onderbreekt me door op je knieën te gaan zitten en mij aan te kijken. Jij spreidt je armen uit in een gebaar dat groots moet lijken, als om de teleurstelling uit onze stemmen te slaan en vervolgens weer opnieuw te beginnen: 'We gaan bij Effe op bezoek!'

'Huh?'

'Om er even uit te zijn. We rijden naar Parijs en gaan Effe opzoeken. Zou je dat niet willen?'

'Maar waarom?'

'Om eens even in een andere omgeving te zitten. Ik denk dat we hier nu weg moeten.'

'Ik moet het eerst aan het stel vragen.'

'Het aan hen vragen?'

'Ja.'

Wat doe jij? Wil je mij in de armen van een ander werpen om er ruimhartig naast te kunnen gaan staan, als een bewijs van jouw grote liefde voor mij? Als bewijs dat je het wel aankunt om jouw vriendin een ander te zien kussen? Dat je zelfs zo sterk bent dat je ons zou willen zien vrijen, dat je zou willen toekijken? Ik kijk je aan maar je gezicht verraadt niets, behalve een tevreden glimlach, als een moeder die haar kind een verrassing heeft bereid en daar nu de vruchten van plukt. Er moet een einde aan komen.

Ik bel monsieur en madame Léchampe op om te zeggen dat ik afscheid moet nemen. We spreken af in het café op de hoek en Françoise is in het zwart gekleed en draagt een donkere zonnebril; het is alsof ze krimpt.

'Ik moet het nu vertellen. Dit kan niet. We praten en praten en soms zegt hij dat hij mij iets wil vertellen, maar wanneer ik ernaar vraag is hij het vergeten. Hij weet niet wat hij zich moet herinneren en hij is er helemaal op gefixeerd mij te helpen, mij te redden. Er moet een eind aan komen.'

Ze knikken beiden.

'Je bedoelt dat je nu de waarheid moet vertellen', zegt zij terwijl ze even mijn haar aanraakt.

Ik vraag me af waarom ze dat steeds doet en waarom ik hen nooit mag aanraken. Ik heb verscheidene keren geprobeerd hen aan te raken om ze te bedanken voor hun hulp, maar iedere keer deinsden ze terug en wanneer ik ze stiekem van achteren aanraakte, had ik het gevoel dat het niet huid was die tegen huid aankwam, maar tijd tegen tijd.

'Inderdaad. Ik moet het echt doen.'

'Je weet wat dat kan betekenen?' vraagt hij.

'Nee.'

'Het kan betekenen dat hij je nooit meer wil zien. Dat hij denkt dat jij hem de deur wijst, hem wantrouwt, hem verwijt dat hij heeft gelogen en dat hij dan niet wil uitzoeken waarom en bang wordt. Dan zie je hem misschien nooit meer terug.'

'Kan het zo gaan?'

'Helaas.'

Het wordt stil en we roeren in onze koffie en wanneer ik mijn ogen opsla, meen ik heel even dat ik jou aan de overkant van de straat zie staan, met uitgespreide armen en bloed dat neerstroomt van je handen, die je als in gebed ten hemel hebt geheven. Ik grijp naar mijn voorhoofd en word misselijk. Wat gebeurt er toch met mij? Ik doe mijn ogen weer open en er is niemand, alleen een telefooncel met twee kinderen die zich uitstrekken naar de haak om na een gesprek de hoorn weer terug te hangen. Kon ik toch maar naar huis bellen. Was er maar een moeder, een vader die de hoorn zou opnemen en zeggen: 'Vertel, schat.'

Maar dat is voorbij en ik weiger mezelf zielig te vinden, mezelf slachtoffer te maken van omstandigheden waarop ik geen invloed heb kunnen uitoefenen. Ik leef nu en hier zit een stel dat mijn ouders zou kunnen zijn en ik heb ze getransformeerd tot mijn ouders.

'Dus wat zal ik doen?'

Ze halen hun schouders op.

'Ik moet zelf een beslissing nemen.'

Ze knikken.

'Ik geloof dat leugens zich als kanker verspreiden. Eerst leggen ze zich als een rustgevend vlies over het verdriet, wat tot gevolg heeft dat je denkt dat de leugen een bevrijding is.

Maar vervolgens verspreidt de leugen zich; je hebt geen leven meer, omdat je zo gebukt gaat onder alle gebaren en patronen die je voortdurend moet uitvoeren om de leugen te bevestigen. Ten slotte zit de leugen overal en is er geen taal meer over. Alleen nog loze kreten.'

Ik zwijg en kijk naar mijn stukgebeten nagels terwijl ik een besluit neem.

'Dit is een fase waar we doorheen moeten. Ik moet het vertellen.'

'Ik zal niet zeggen of je het goede of het verkeerde doet', zegt zij en ze voegt eraan toe: 'Maar het is een bevrijding.'

'En nu wil hij dat we bij Effe op bezoek gaan. Ik begrijp het niet.'

'Misschien is een confrontatie wel goed, een conflict waarbij geen verdere mogelijkheden zijn om te liegen.'

'Ik hoop het. Ik weet niet wat er anders gebeurt. Misschien is het nu voorbij. Hij wil mij overdragen aan een ander en denkt dat hij daarna vrij is.'

'Nee! Zeg dat niet!' zegt ze hoofdschuddend.

'Hoe hou ik het vol?' fluister ik.

'Je hebt toch voor het leven gekozen, nietwaar? Het leven te leven, dat zei je.'

Ik knik en probeer Françoise te omhelzen, maar ze schudt haar hoofd en ziet er enorm broos uit. Opeens realiseer ik me dat ze misschien ziek is, dat het daarom lijkt alsof ze deze weken weggekwijnd is, net als hij. Ze hebben bijna altijd dezelfde kleren aan, maar hun lichamen onder die lagen lijken met de dag te krimpen.

'Hoe voel je je, Françoise?'

'Goed. Het komt gewoon door de zon.'

'Het is prima', stemt hij in.

'We hebben het eigenlijk alleen over mij gehad, over mijn problemen. Nooit over jullie en jullie leven. Wat onbeleefd van me.'

'Dat was ook niet de bedoeling.'

'Maar ik zou door willen praten! Ik zou willen dat jullie over jullie leven vertelden. Het is onbegrijpelijk dat we er niet aan toegekomen zijn meer te bespreken.'

'Dat komt wel een andere keer, Saga.'

'Ik kom terug. Na Parijs. Met of zonder Zacharias.'

Hij schudt zijn hoofd.

'Maar waarom niet, Philippe?'

'We zien wel. Ik wil alleen dat je nu eerlijk bent. Ik wil dat je moedig bent en hier dwars doorheen gaat, wat er ook gebeurt. En je moet praten over het ongeluk, begrijp je? Wij verlangen veel van je, maar voor jou is dat de enige manier om vrij te worden. Voor jullie. Voor ons.'

Wanneer ik opsta om weg te gaan zegt zij: 'Zeg maar niets. Ga maar. Keer je niet om.'

En ik keer me niet om wanneer ik de straat uit loop, dezelfde straat waar we doorheen liepen toen we elkaar net hadden leren kennen en zij ervoor zorgden dat ik me openstelde, dat ik om hulp vroeg, dat ik moedig was. Dezelfde straat waar Urban nu inmiddels langgeleden door reed. Ik wil me omkeren maar dat mag niet, ik wil huilen maar dat mag niet. Al dat vertrekken, al dat afscheid nemen dat me mijn hele leven al achtervolgt en dat voortdurende besef dat niets duurzaam is. Ik weet niet eens of jij over een paar dagen nog in mijn leven zult zijn, of dat we elkaar zullen hebben verlaten wanneer we de omvang van onze zwakte en onze verachting inzien. Niet huilen, en ik voel de tranen stromen en ik wil schreeuwen en tekeergaan en met gebalde vuisten zwaaien naar auto's die ik passeer. Me niet omkeren, en ik keer me om en natuurlijk zijn ze weg, dat bijzondere stel dat mij, deze paar weken, een idee heeft gegeven van hoe het is om ouders te hebben. Ze zijn weg en er is geen spoor van hun bestaan en het leven rolt verder en ik ben alleen, aan het begin net zozeer als aan het eind.

V Verbal

VERBAAL *de taal of het spraakvermogen betreffend; (over een persoon) die zich gemakkelijk uitdrukt (in woorden)*

Jij bent dwars door de kamer heen gelopen, dwars door mij heen. Je hebt mij tot niets gereduceerd en ik kan niet rechtop staan, mijn benen begeven het en ik weet dat het mijn schuld is. Van mij en van jou. Er is veel te veel tijd verstreken, we hebben het leven cadeau gekregen, we zijn aan de dood ontsnapt en we hebben geprobeerd weer levend te worden, we hebben het geprobeerd, maar nu is het leven als water tussen onze huidloze vingers door gelopen. We hebben, net als Britt, elkaars vertrouwen uitgeput, haartje voor haartje hebben we uit elkaars lichaam getrokken en over zijn twee huidloze, geslachtloze wezens die hun tong hebben verloren en die sprakeloos dwars door elkaar heen lopen, elkaar in de grond trappen en er is niets meer over. Ik sta in de keuken van Effes flat tegen de deurpost geleund en ik heb je kapot zien gaan en – God vergeef me – ik heb niets gedaan om dat te voorkomen. Ik heb de vernedering in de vorm van woorden geaccepteerd en jouw eigen grootsheid heeft je ten val gebracht; het ging niet zoals jij gedacht had, helemaal niet. Jij kon mij niet zomaar aan een ander overdragen, je grootsheid was niet groot genoeg en nu heb je genoeg van mijn waanzin die niet bestaat, mijn woorden die tegenwoordig geen betekenis meer hebben. Net als in het begin heb ik er geen woorden voor en ik zie hoe jij vervuld bent van haat en ontkenning, en heel je lichaam trilt en ik weet dat je mij niet wilt vernederen, maar het is te ver gegaan en je kunt het niet meer aan. Ik geloof ook niet dat ik het nog aankan.

Ik heb gezegd dat dit over geluk moest gaan en misschien ging het daar ook wel over, voorzover geluk überhaupt mogelijk is. Mijn wens was dat we een gemeenschappelijke taal zouden vinden voor verdriet en voor geluk. Maar nu hebben we de overstap gemaakt en ik weet niet wat er aan de andere kant huist, behalve de leegte en de eenzaamheid.

'Is ze ook naakt in jouw bed gaan liggen?'

Effe is niet in staat te antwoorden, hij staat met zijn mond vol tanden, staat voor een ontknoping die hij niet kan tegenhouden en zijn mond gaat open en dicht als bij een vis die pas in een aquarium is gestopt. Met mijn ogen vol tranen wil ik tegen Effe zeggen: het is goed. Jij kunt niets doen. Het is te ver gegaan en dat had ik onder ogen moeten zien, daar had ik langgeleden al over moeten praten, maar ik ben in een heel gevaarlijk spelletje gestapt waarbij een stel de woorden die ik voorlas dicteerde, ter wille van hun verlossing. God weet of ik het begrijp. Ik kon me niet van hen losrukken, dat zou hetzelfde zijn geweest als je losrukken van je net weer tot leven gewekte ouders, en het was sprookjesachtig, verschrikkelijk, en ik kon het niet laten. Ze schonken mij troost, ze schonken mij leven en ik accepteerde hen, zoals een achtjarige die uit school thuiskomt. Ik kon het niet laten. Ik kreeg Zacharias aan de praat, ik kreeg ons aan de praat, maar we spraken nooit over het belangrijkste: over schuld en geweten en over hoe we die steeds van ons wegschuiven. Hoe we luchtkastelen bouwen;

als architect en vertelster van saga's hebben we elk een luchtkasteel gebouwd, waarbij iedere kamer bestaat uit zijn eigen leugen waarvan wij alleen de sleutel bezitten. Nu is de leugen als kanker doorgegroeid en ik denk dat het te laat is om hem nog operatief te verwijderen. De patiënt moet opgeofferd worden. Het gezwel groeide te snel, het is te groot en het zit nu met een ijzeren greep om mijn keel en ik zie Zacharias de deur uitgaan, Effe, en ik denk dat hij opgeofferd moet worden. Ik voel het nauwelijks, ik weet niet of ik me ooit zo verdrietig heb gevoeld.

Maar er komen geen woorden, in plaats daarvan zak ik op de vloer met mijn handen tegen mijn onderbuik, die pijn doet en schrijnt en jou al naroept. Het enige wat ik fluister is: 'Nooit meer. Nooit meer. Nooit. Meer.'

Jij bent weg. Effe rent naar mij toe, maakt mijn handen los van mijn onderbuik en draagt mij naar zijn bed waar hij naast mij gaat liggen. Met sterke armen probeert hij leven in mij te blazen en ik hoor niet wat hij zegt, voel zijn warmte niet, zie zijn ogen niet. Er ligt zout tussen, er ligt dood tussen, er liggen kinderloosheid, gebroken nekken, Coca-Cola, koplampen, waanzin, buikpijn, letters en cement tussen. Ik kan niet zien en ik weet niet of ik schreeuw, ik weet alleen dat hij zijn hand op mijn mond legt zoals jij een keer deed toen we vreeën na maanden, jaren, decennia van onvermogen om elkaar te beroeren. Ik zeg: 'Ik heb een huis van woorden voor mezelf gebouwd om me tegen het verdriet, tegen de waanzin te beschermen, alleen maar om tot de ontdekking te komen dat ik slechts kon schrijven, maar niet kon leven. Vervolgens besloot ik te leven en ik verloor mijn woorden, mijn leven werd gedicteerd, en tegenwoordig mis ik het vermogen om te praten, te leven en te zien. Ik heb onderweg het vertrouwen verloren, maar ik denk dat het nu voorbij is. Als het maar niet zo'n pijn deed.'

Hij houdt mij in zijn armen en hij fluistert iets. Ik hoor het niet: 'Ik heb iedere nacht een kind gebaard. Ik heb er verschillende gebaard, ik heb foetussen gebaard, ik heb lijken gebaard, ik heb miljoenen kinderen gebaard en mijn schoot bloedt dood, maar wanneer ik wakker word is er niets. Dor en leeg ben ik, verdroogd, en ik kan met Zacharias geen kinderen krijgen en hij heeft zich alleen maar omgedraaid in bed. Van mij af. Zich omgedraaid.'

Effe zegt iets. Vraagt hij mij wat?

'Ik? Ik ben aan het bakken geweest. Ik heb me opgeofferd, maar dat is nu voorbij en ik heb ervoor gekozen te leven, maar dat deed Zacharias niet.'

Hij fluistert weer.

'Ja. We hebben een man gedood en we hebben hem daar achtergelaten en we zijn geen mensen, we zijn laffe stakkers, maar ik kon niets doen.'

En weer.

'Hij heeft mij de schuld gegeven, over zijn alleen nog messen en leugens en een stel dat mij adviseerde omwegen te maken op weg naar een doel dat verdween toen ik het eindelijk vond.'

Nu hoor ik door mijn eigen verwarring heen ten slotte zijn stem, hij heeft mij rechtop in bed gezet en dwingt me om whisky te drinken en van de smaak moet ik hoesten. Ik blijf maar hoesten en hij streelt mijn voorhoofd tot ik rustig word en tegen zijn schouder leun.

'Het is een zooitje', fluister ik.

Hij lacht zachtjes.

'Dat begrijp ik.'

'Wat heb ik gezegd?'

'Veel. Waar ik maar de helft van begrijp. Er is iets gebeurd. Ik zag aan de auto dat hij aan de voorkant schade had opgelopen. Is er een ongeluk gebeurd?'

'Ja.'

'Vertel.'

En ik vertel en hij luistert met mijn handen in de zijne en iedere keer dat ik stop voor stopborden, moedigt hij mij aan om door te gaan en hij dicteert de woorden niet. Wanneer ik klaar ben zegt hij, haast onbezorgd: 'Het is simpel. Je moet het gewoon vertellen.'

'Gewoon?'

'Ja. Je moet hem de waarheid onder ogen laten zien en vervolgens zijn jullie zo vrij als jullie met een dergelijke schuld maar kunnen worden. Maar jullie moeten die schuld gelijk verdelen.'

'Hoe moeten we daarin slagen?'

'Ik dacht dat je vertelde dat jullie van elkaar hebben gehouden. Dat jullie van elkaar houden. Dat zei je.'

'Maar nu is het afgelopen.'

'Daar vergis je je in. Van elkaar houden wanneer het voor de wind gaat is geen probleem; nu begint het.'

'Ik moet alles vertellen?'

'Ja.'

'Waarom ik altijd?'

'Omdat jij de leugen hebt verlengd.'

'Ik verkeerde in een shock.'

'Maar die shock is nu afgenomen. En misschien heb je er indirect wel op lopen wachten, ernaar verlangd, dat hij je zou verlaten. Misschien heb je Zacharias alle aanleiding gegeven om weg te gaan, zodat je vervolgens gelaten zou kunnen fluisteren: "Ik ben weer in de steek gelaten. Help mij!"'

'Hou op! Ik wil het niet horen!'

'Ik ben Felicia niet! Ik ben je zus niet, die haar woorden mooi verpakt in haar fanatieke liefde voor jou. Saga! Luister naar me. Het gaat zo niet langer. Zacharias is niet de enige die een ander de schuld geeft. Jij vertelde dat je die nacht hebt besloten te leven, te overleven. Doe dat dan!'

Hij heeft geschreeuwd, ik heb geschreeuwd en we staan elkaar ieder in onze eigen hoek van de kamer aan te staren met onmacht en woede en opluchting. En begeerte.

Ik begeer hem net als vroeger en hij komt dwars door de kamer op me af en achter me heb ik alleen het raam, het is vier verdiepingen hoog en de enige uitweg is sterven, maar ik heb beloofd te leven. Hij komt steeds dichterbij en ik fluister: 'En dan? Als ik de waarheid vertel en hij vraagt mij om weg te gaan en hij wil me nooit meer zien? Wat heeft de waarheid dan voor nut gehad?'

'Al het nut van de wereld. Als hij weggaat, ben jij vrij en dan moet je een eigen leven opbouwen.'

Hij staat nu dichtbij, veel te dichtbij en achter mijn rug heb ik de vensterbank waarop ik ga zitten, achter mijn rug alleen lucht en open ramen en daarna vier verdiepingen naar beneden.

'En wij?' fluister ik.

'Wij bestaan niet. Wij hebben bestaan en dat is geëindigd omdat we niet met elkaar konden leven, ondanks onze overeenkomsten en onze passie. Maar passies hebben geen voorliefde voor het huwelijk.'

'En nu?'

Hij heeft mijn benen gespreid, zoals ik daar zit, en is ertussen gaan staan en heeft zijn handen op mijn buik gelegd, waarna ze zich een weg naar boven zoeken tot ze mijn borsten bereiken en ik ben bang – wat zei het stel over ontrouw, wat zeiden ze? – en ik haal zijn handen niet weg, of zijn lippen, of zijn adem, die als een kledingstuk mijn verdriet omhult.

'Wat doe je, Ebrahim?'

'Ik maak iets van jullie leven.'

'Sorry?'

'Ik bied mijn diensten aan als spermadonor.'

'Ik begrijp het niet?'

'Ik maak je zwanger, daarna ga je naar huis naar Zacharias en jullie vrijen en je vertelt alles en omdat jullie van elkaar houden, zal het lukken.'

'Effe?'

'Zo'n liefde als waar jullie voor hebben gekozen, kies je maar één keer in je leven. Je kunt het je niet permitteren hem te verliezen.'

'Effe. Ik.'

'Saga. Saga. Saga.'

'Ik weet het niet.'

'Neem een beslissing. Nu.'

En zijn handen liggen als schilden rond mijn borsten. De beslissing is aan mij.

Hiervandaan hoor ik het verkeer: vier verdiepingen lager. Vier verdiepingen.

X X-kromosom

X-CHROMOSOOM *een van de twee geslachtschromosomen (vrouwen hebben twee x-chromosomen, mannen hebben een x- en een y-chromosoom)*

Het is vroeg in de ochtend en er hangt een grotestadsgeur wanneer ik door Effes straten loop, waarbij ik tussen afval, vogels en foutgeparkeerde auto's door heen en weer spring. Ik ben uitgeput en mijn lichaam doet zeer van vermoeidheid, van tranen, van verdriet, van vertrek – mijn lichaam doet zeer van hunkering naar jou. Sinds we elkaar hebben ontmoet, hebben we niet veel nachten apart geslapen. Deze nacht was misschien niet alleen het begin van een reeks nachten waarin we niet alleen apart zullen slapen, we zullen misschien zelfs het bed met een ander delen. Maar ik weet niet hoe ik het moet opbrengen met iemand anders opnieuw te beginnen. Kan ik het opbrengen mijn leven nog een keer met een vreemdeling door te nemen, te vertellen, vertrouwen, troost, liefde, verbondenheid te krijgen, en vervolgens te proberen de intimiteit te bereiken die ik bij jou vond op hetzelfde moment dat jij naar me keek en me aan het lachen maakte? De gedachte aan jou naast een van jouw ontelbare vrouwen is verschrikkelijk, en ik weet trouwens ook niet of jij het ooit zult kunnen opbrengen weer iemand toe te laten. Ik denk aan alle dagen van blijdschap, van liefde, van lachen, van verdriet die we hebben gedeeld. We hebben het leven gedeeld en we hebben zelfs de dood gedeeld. En nu is het voorbij? De realiteit kreeg de overhand en de realiteit was veel wreder dan ik had gedacht en God was sterker dan wij en we hebben gevochten, bijna dapper, maar nu staan we huidloos met lege gezichten die erop wachten geschminkt te worden, klaar om naar buiten te gaan en onze plaats in de wereld weer in te nemen: jij zult luchtkastelen tekenen en ik zal die beschrijven.

En toch loop ik hier, door de stad, op weg naar de hotelkamer waar we twaalf uur geleden onze koffers achterlieten. Opeens realiseer ik me dat jij misschien al bent vertrokken, dat jij misschien de auto hebt genomen om naar huis te rijden. Maar je kunt Urban toch niet nemen? Wie zal hem krijgen? Opeens realiseer ik me dat jij misschien denkt dat ik, in mijn waanzin, heb besloten bij Effe in te trekken, dat ik ervoor heb gezorgd dat het zo liep en dat ik jou heel die lange weg door het Paradijs en het Vagevuur heb gevoerd om je huilend op een stoffige hotelkamer achter te laten. Ik ga steeds sneller lopen tot ik bijna ren en nu ren ik en de duiven vliegen op wanneer ik hun kant op kom, en het afval dat vannacht buiten heeft gestaan, ligt verspreid onder mijn voeten. Ik voel me net een boodschapper die een marathon moet lopen om op tijd het bericht over een oorlog te bezorgen. Ik zou alleen zo graag met een bericht over vrede willen komen, zou willen zeggen dat de oorlog nu voorbij is. Zouden we onze wapens niet kunnen neerleggen en alleen maar gelukkig zijn, dat vermogen bezitten we immers, is dat te veel gevraagd?

Dat is niet te veel gevraagd en het enige wat ik bid is dat je het zult begrijpen, dat je zult willen leven en dat er nu eindelijk een einde aan komt.

'Sta achter me of tegenover me. Vertrouw op mij.'

Heb vertrouwen in mij, spring er niet zodanig mee om dat het enige wat overblijft behoefte aan wraak en onderdrukt verdriet is, dat met de jaren bitterder gaat ruiken. Maak me sterk en respecteer me en geef me een eigen kamer waarin ik mag werken, zoals jij er ook een zult krijgen. Als we elkaar weer vinden, zullen we twee eigen kamers hebben, we zullen elkaar met rust laten en nooit zal ik zeggen: 'Kun je niet beter zo zijn?'

En nooit zul jij zeggen: 'Je moet veranderen. Dat eis ik.'

We zullen elkaar met rust laten in de wetenschap dat we elkaars beste vrienden zijn en wanneer we klaar zijn met ons werk, zullen we op elkaars deur kloppen om te zeggen: 'Als je wilt kun je ook koffie komen drinken. Ik zit hier vlakbij. Ik wacht op je.'

Het kan toch zo niet aflopen! Dat mag niet. En terwijl ik ren, besef ik één ding heel duidelijk: alleen de waarheid is nog over. Alleen de waarheid.

Ik ren het hotel binnen en vraag de verbouwereerde portier om het nummer van onze, jouw, mijn kamer en hij wijst mij de weg en ik bedank hem en draai me bij de trap om.

'Is monsieur er nog?'

'Ja, madame. Hij heeft een fles whisky laten komen en sindsdien heb ik hem niet meer gezien.'

Ik klop aan en wanneer er geen antwoord komt, doe ik de deur open en ik zie hoe jij voor het raam zit en hoe de ochtendstralen de nokken van de daken helemaal zilverglanzend verven. Acht verdiepingen naar beneden. Je zit op een stoel en ik weet niet of je wakker bent of dat je slaapt en de whiskyfles staat op tafel, voor de helft leeg. Het is heel stil.

Jij hikt en zegt: 'Ik heb gewoon een neut gepakt.'

Ik begin zachtjes te lachen, wil zo graag naar je toe gaan en je omhelzen en zeggen dat alles nu goed is, dat we in bed kunnen gaan liggen en dat mijn lichaam om jou schreeuwt en dat we opnieuw kunnen beginnen. Maar alles is niet goed, er zijn dingen die uitgepraat moeten worden en ik ben gedwongen het kankergezwel dat ons dreigt te verstikken eruit te rukken.

'Zacharias? Ik heb een besluit genomen.'

'O?'

'Ik heb voor jou gekozen. Ik sta achter je en ik wil dat jij ook een besluit neemt. Je moet nu een besluit nemen.'

'Ik geloof niet dat ik je begrijp.'

'Je begrijpt het best.'

'Ik weet het niet, Saga.'

'Je moet kiezen. Het zal pijnlijk zijn en als je denkt dat je het niet redt, dan moet je dat nu zeggen, en dan mag je gaan. Maar ik moet weten of je achter me staat of niet.'

Jij zwijgt een hele poos en ik vraag me af of je in slaap bent gevallen en moe strijk ik mijn pony uit mijn ogen. Maar je zegt: 'Ik neem aan dat we over de waarheid moeten praten. Dat we iets moeten vertellen. Dat weet ik nu al een hele tijd.'

'Ja.'

'Dan sta ik achter je. Niet alleen dan: altijd. Ik weet niet hoe ik het leven anders aan zou kunnen. Het was vermoeiend om verantwoordelijk voor je te zijn, je te beschermen. Maar dat is nu voorbij.'

'Dat is nu voorbij.'

'En ik heb me slecht gedragen. Ik heb je zo vaak verloochend en daarna heb ik geprobeerd voor je te zorgen, maar zelfs dat is mislukt.'

Je schiet in de lach.

'Het zijn die afschuwelijke pijnen. Als ik die niet had gehad, dan had ik je echt kunnen helpen je te herinneren wat er is gebeurd, in plaats van je te laten gebruiken door monsieur en madame Léchampe.'

Lieve God, help me! Waar moet ik beginnen?

'Zacharias? Je hebt een keer verteld dat je moeder zei dat je altijd iemand anders de schuld moest geven.'

'Ja.'

'Waarom zei ze dat?'

'Omdat ze dacht dat dat de enige manier was om te slagen in het leven: een ander de schuld geven wanneer je in iets terechtkwam wat je kansen voor de toekomst kon bederven. Ze wilde dat ik zou slagen, tegen elke prijs. Dat ik zou worden wat papa nooit werd.'

'En dat ben je geworden?'

'Ja, ik moet haar raad hebben opgevolgd.'

Je lacht weer, door de whisky en door een steeds verder toenemende verwarring. Ik kan niet anders doen dan doorgaan.

'Jij was dik als jongetje.'

'Dik? Een beetje mollig misschien! Hoogstens.'

Je zwijgt. Dan spreek je weer, alsof je een beslissing over iets hebt genomen, nog steeds met je gezicht naar de lucht gekeerd, over de daken, door het raam.

'Ik was een klein dik jongetje en dat wilde mama niet hebben. Zij wilde een prinsesje dat alles zou krijgen wat zij niet had gehad in de niet zo trendy buitenwijk. Maar in plaats daarvan kreeg ze een zoon en door een ironische speling van het lot was hij net zo mollig als zijn vader en daar kon ze niet om lachen. Helemaal niet.'

'Ga door.'

'Ze besloot haar zoon te veranderen, hem alles te leren over de weg naar succes, hem te onttrekken aan zijn vaders verderfelijke invloed die alleen maar tot gevolg had dat hij op zijn zij lag te lezen. De vader mocht geen eigen kamer hebben.'

'Jij ook niet?'

'Ik ook niet. Ik woonde in dat huis en ik zal wel van mijn vader hebben gehouden, in het begin, maar ik moet het respect voor hem hebben verloren toen hij nooit zei waar het op stond. Daar zorgde zij voor. Omdat mijn moeder alles voor me deed, moest ik wel van haar houden, of niet?'

'Inderdaad, Zach.'

'Ze had immers het beste met me voor en ik kon het haar niet aandoen dat ze niemand in het gezin zag slagen.'

'En toen?'

'Toen slaagde ik.'

Ik kom dichter bij je, ik benader je van achteren en je schrikt op en ik zeg: 'En het dikke jongetje? Wat gebeurde er met hem?'

Je keert je nog steeds niet om, maar je gaat voor het raam staan en ik blijf staan en laat me langs de muur naar beneden zakken wanneer jij eindelijk vertelt, fluisterend, met een verwondering alsof je voor het eerst naar jezelf luistert.

'Het was het dikke jongetje verboden om te eten. De moeder at bijna nooit meer dan het noodzakelijke en ze hield haar zoon in de gaten zoals een cipier een gevangene.'

'Dat was jij.'

'Ze hield me in de gaten en op een dag toen ze weg was, had ik geld gepikt om koek en snoep te kopen net zoals de andere jongens. Toen ik dat zat op te eten, hoorde ik de sleutel in het slot en ik werd zo verschrikkelijk bang dat ik er misselijk van werd. Ze benaderde me van achteren, stond achter me in de keuken en ik voelde hoe ze naar mij keek en naar het voedsel en daarna weer naar mij, maar ze zei niets, dat was nog het ergste: alleen maar die teleurstelling. Ik keerde me om en haar ogen zeiden: en ik heb me zo voor je opgeofferd. Mijn opoffering is voor niets geweest.

Ik rende bij haar vandaan, de trap op naar de badkamer boven en ik zweette en was misselijk en ik sloot me op en probeerde over te geven. Ze bonkte op de deur, wist die ten slotte open te krijgen en keek toe hoe ik overgaf.'

'Wat deed ze?' fluister ik met mijn handen onder mijn kin.

'Begrijp je, Saga, ze deed niets. Niets. Ze vond het prima zo. Ze vond het prima dat ik de zonde die ik naar binnen had gepropt uitbraakte en ze keek in de spiegel naar me en zei niets; ze draaide zich gewoon om en liep de badkamer uit.'

'En toen?'

'Het moet telkens weer opnieuw zijn gebeurd. Ik braakte alles wat ik had gegeten er weer uit en wanneer papa vroeg waarom, dan schoof ik de schuld op het eten, op de vis, op snoep en uiteindelijk had ik die buikpijnen waarvoor geen arts de oorzaak kon vinden.'

'Je mankeerde niets.'

'Nee. Misschien mankeerde ik niets. Maar mama wilde dat dat wel zo was en ze was heel ongerust en ze was de beste moeder, de Goede Moeder, die met haar zoon naar de dokter ging, keer op keer, terwijl er helemaal niets uitkwam. Ze moet het hebben geweten, maar de jaren verstreken en haar dikke jongetje werd steeds mooier en sportte zich gaaf en netjes en op een dag stond haar prins er en hij deed alles wat ze zich had kunnen wensen. Bijna alles.'

Je zwijgt weer, de zon staat steeds hoger aan de hemel, en je haalt je handen door je haar, dat voor de zomer heel kort is geknipt.

'Wat heb je niet gedaan?'

'Ik heb haar geen kleinkinderen geschonken. Geen status van grootmoeder op haar oude dag.'

'Maar je zei toch dat ze van je onvruchtbaarheid moet hebben geweten?'

'Ja, maar daar moet ze excuses voor hebben gevonden, het ter zijde hebben geschoven, zoals met alles wat niet in het plaatje paste.'

Je schudt je hoofd en zegt, tegen niemand in het bijzonder: 'Maar nu is het voorbij, of niet? Mama, het is voorbij.'

'Zacharias? Je hebt weer net zoveel pijn gehad.'

'Ja, toen ik mijn baan kwijtraakte en met jou geen kinderen kon krijgen, Saga. Toen kwam het weer.'

'En daarna kwam het weer.'

'Wanneer dan?'

'Na het ongeluk.'

'Ja. Ik maakte me zorgen over je. Over het feit dat je je er niets van herinnerde. Ik wist niet hoe ik je moest helpen.'

'Zacharias, ik herinner me alles.'

'Alles?'

'Ik herinner me de koplampen, ik herinner me de verlaten weg, ik herinner me de man die midden op de weg liep, ik herinner me zijn gebroken nek en mijn eigen gegil en hoe ik je daarna in het bos vond.'

'Maar waarom heb je dan niets gezegd!'

'Omdat je de schuld van je afschoof.'

Je hebt je omgedraaid en kijkt mij aan zoals ik daar tegen de muur geleund zit in de stoffige kamer die oplost in mijn tranen.

'De schuld van me afschoof?'

'Ja, Zach.'

Je staat er zo stijf bij als de stoel waarop je hebt gezeten en wilt in beweging komen, naar voren, naar achteren, naar het raam – acht verdiepingen naar beneden – maar je kunt niets doen en je kijkt als een kind wanneer je vraagt: 'We moesten toch ergens over praten? Over schuld?'

'Ja. Wie reed er die nacht, Zach?'

'Dat was jij en ik zou zo graag willen...'

Je zwijgt.

'Wie reed er?' fluister ik.

Je verroert je zonder je te verroeren, ik wil je zo graag troosten, want ik zie dat je staat te lijden en ik zie hoe je jezelf onder ogen ziet en dat dat geen fraaie aanblik biedt, net zoals mijn lafheid niet fraai is.

Jij fluistert: 'Ik kon er niets aan doen.'

'Nee.'

'Het had iedereen kunnen zijn. Maar ik was het.'

'Ja.'

'We hadden niet mogen doorrijden.'

'Nee. Ik was ook bang. Ik was bang dat jij je verstand zou verliezen en ik was bang dat ik mijn eigen verstand zou verliezen. Ik wilde je daar weghalen, maar de dood riep zo veel herinneringen bij me op waar ik in mijn eentje niet mee om wist te gaan en ik had je nodig. Ik durfde je niet te verliezen. Dat was niet goed, maar het was ook niet verkeerd', fluister ik.

Je zoekt steun bij de stoel en je staat in het tegenlicht, waardoor ik je gezicht niet meer kan zien, niet kan zien wie je echt bent.

'Ik dacht dat ik een moedig mens was, een sterk mens.'

'Je stortte in. Je kon het niet aan om de sterkste te zijn en eigenlijk werd ik daardoor uit mijn nachtmerrieachtige opofferingsgezinde verdoving gered. Ook al handelde ik niet juist, ik werd tenminste wakker. Ik ben alleen bang dat ik te laat weer tot leven kwam. Dat ik ons allebei om die reden met leugens heb kapotgemaakt.'

Je komt naar me toe, ik voel je armen om me heen en onze tranen vermengen zich en ik heb je nooit zien huilen en je probeert te praten, maar schudt alleen je hoofd. Ik neem het tussen mijn handen, ik kus je en je draait je hoofd weg, alsof je wilt zeggen dat je mij niet waard bent, niet aangeraakt wilt worden.

'Hoe kon ik?'

'Zacharias, je hebt het beloofd!'

Je blijft huilen en ik leid je naar het bed. Je bent tachtig kilo opgekropte tranen, ik bet je voorhoofd met een vochtige handdoek en je zegt dat je pijn in je buik hebt en ik zeg dat dat nu voorbijgaat, dat het nu voorbij is, eindelijk; over blijft de liefde en ik wil steeds opnieuw met je vrijen en jij zegt dat de buikpijn dan misschien verdwijnt, dat die misschien wegtrekt. Wanneer we vrijen.

De volgende ochtend ben je aangekleed, heb je gepakt en ben je heel beheerst.

'Ik rij terug naar Étretat om met de politie daar te praten en te vertellen wat er is gebeurd.'

'Zacharias, ik...'

'Saga. Ik moet. Nu begint het.'

Ik knik, pak ook mijn koffer in en ik ben leeg, het gaat te snel en algauw zitten we in de auto op weg in noordelijke richting.

'Ik wil ook monsieur en madame Léchampe ontmoeten. Op hun manier hebben ze ons geholpen.'

'Ja. We zouden ze moeten bedanken.'

Jij zet de autoradio aan, ze draaien liedjes die we kennen en we zingen mee en de hele tijd houd jij mijn hand vast.

'Ben je overtuigd van wat je moet doen?' vraag ik.

'Absoluut.'

'Ik sta achter je.'

'Dat weet ik.'

'Ik help je.'

'Daarom hou ik van je. Ik ben heel blij dat we nu de waarheid spreken. We hadden het geen van beiden veel langer overleefd.'

Je brengt de auto tot stilstand, we staan langs de kant van de weg terwijl de auto's voorbij suizen en je zit te spelen met een sleutelbos.

'Saga?'

'Ja.'

Je haalt adem, tikt tegen de autoruit alsof jouw taal uit morsesignalen bestaat en de taal is nu helemaal nieuw, maar toch beheers ik die al.

'Ik ben geen goed mens. Zoals ik dacht.'

'Ik ook niet. Maar zulke mensen bestaan niet.'

'Nee. En daar moeten we mee leven.'

'Daar moeten we mee leven.'

En terwijl jij opnieuw de auto in noordelijke richting stuurt, zie ik het stel voor me, ik zie onze laatste ontmoeting, toen het leek alsof ze bezig waren van me te verdwijnen en ik ben bang dat niets was wat het leek te zijn, zoals dat de laatste tijd met alles het geval lijkt te zijn. Dat zelfs zij zullen verdwijnen.

Maar het vertrouwen heb ik. En ik beloof aan de rijbaan die zich voor onze ogen uitrolt als een filmdoek: 'Ik zal leven met vertrouwen in jou. Vertrouwen in jou.'

Wanneer ik bijna in slaap ben gevallen in het oranje licht dat de snelweg uitstraalt, bedenk ik opeens dat dat het was wat mijn ouders hadden. Dat was het wat zo benijdenswaardig was en mijn moeders zus Britt tot waanzin dreef. Ik heb mijn ouders eindelijk ingehaald. Zacharias en ik worden godzijdank nooit onderdeel van de perfectie: we worden gewoon onszelf en dat is voldoende. Zoals het voldoende was voor jou, mama, voor jou, papa.

Over is alleen de genade.

We kunnen de auto nooit keren, opnieuw beginnen. De reis is gemaakt en daar heb ik geen spijt van. De wereld is groter geworden, maar kleiner. Beter, maar wreder. We zijn geen goede mensen, ook geen slechte. Dat onderscheid bestaat niet. We zijn het beide. Maar we zijn gedwongen te leven met vertrouwen. Dat is het enige wat we kunnen doen.

Dat bewaren.

Zacharias

Y Yrvaken

IJL IN HET HOOFD *licht duizelig, (nog) enigszins verward, slaapdronken*

De weg komt als een film in sneltreinvaart op me af stormen en af en toe moet ik mijn voet op de rem zetten, gewoon om te controleren of die het doet, om mezelf in te prenten dat ik niet van plan ben te hard te gaan en uit pure verwarring van de weg te rijden. Precies zoals de weg op me afkomt, komt heel mijn leven op me af, en er zitten pieken bij, er zitten dalen bij, er zit zonneschijn bij, er zit regen bij. Er zitten herinneringen bij die lekker ruiken en smaken, er zitten herinneringen bij die maken dat ik mijn voorhoofd frons en mezelf vervloek, er zitten herinneringen aan mama bij die tot gevolg hebben dat ik opnieuw misselijk word. Maar de misselijkheid neemt af en ik heb niet het gevoel dat ik moet overgeven. Wanneer de pijn opkomt, kijk ik naar jou zoals je daar halfslapend in het oranje licht van de snelweg ligt. Saga. Wat heb je met me gedaan? Jij hebt ervoor gezorgd dat ik de weg vind in al mijn herinneringen; van alle kamers in het luchtkasteel heb ik nu een sleutel en ik weet dat ik overal naar binnen kan gaan. Ik weet ook dat dat pijn zal doen, dat ik zeventien jaren van verdringing heb waar ik om kan huilen en dat dat te veel is in één keer, maar dat ik dat aankan. Saga, de zwakke. Saga, de sterke. Twee delen van dezelfde persoon en nooit had ik gedacht dat Zacharias net zo gespleten was. Dat degene die ik ben ook gespleten was: in iemand die leeft en in iemand die liegt en anderen de schuld geeft. Jij hebt mij mezelf laten zien zoals ik ben en dat bood geen fraaie aanblik, het was alsof ik in een afgrond staarde, maar die afgrond was ik en iedere keer dat ik erin kijk, wordt hij minder diep en ten slotte heb ik het gevoel dat hij niet eens diep genoeg is om mezelf te kunnen ombrengen.

Want eindelijk wil ik leven. Ik ben overvallen door zo'n levenslust dat ik er bijna bang van word. Ik verslind de omgeving met mijn ogen, ik verslind de huizen, ik zie hoe ze gebouwd zijn, ik zie de mensen in de auto's die ik passeer, ik zie kinderen en zie dat ze slapen, en ik wil mijn hand uitstrekken om ze te aaien en zeggen: misschien kan ik geen vader worden, maar je mag me wel lenen als vader.

We zullen verder leven en we moeten onderweg kinderen vinden voor wie ik vader mag spelen, en misschien is dat wel hetzelfde als echt vader zijn.

Ik denk aan mama en de eerste pijn over wat ze heeft gedaan is weg. Terwijl ik de auto in noordelijke richting loods, probeer ik alles wat we elkaar hebben aangedaan door te nemen, maar in mijn hoofd zit alleen nog een leeg voetbalveld en degene die aan de bal is: dat ben ik. Het is nu mijn beurt en op de grasmat zie ik mijn moeder en ze strekt haar handen uit met haar handpalmen naar boven, als de Maagd Maria, en ze vraagt me om iets en ik nader haar en het gaat over genade, dat heb ik eerder gehoord, maar ik kan het niet opbrengen te luisteren. Maar woede voel ik ook niet, alleen maar medelijden en ik heb een flauwe smaak in mijn mond. De tijd is verstreken, er is niets meer waar ik de schuld op kan schuiven, ik heb gekozen voor een leven met jou en dat begint nu. Ik heb het gevoel dat net doen of ze niet bestaat de enige manier is om te voorkomen dat mama mij weer pijn doet, dat ze daardoor al haar macht verliest en dat ik niet langer de prins ben die betoverd kan worden. Die prins bestaat niet meer, over is alleen Zacharias die anderen de schuld gaf en hij heeft besloten dat niet meer te doen, wat betekent dat ik zelfs jou niet langer de schuld kan geven, mama. Het is nu voorbij en zoals een krankzinnige operaregisseur eens zei: *'The rest is silence.'*

Maar tussen ons wil ik geen stilte meer, Saga. Ik wil dat we praten, dat we elkaars waarheden verdragen en dat we desondanks toch van elkaar houden. Verder wil ik dat we elkaar met rust laten en twee gescheiden levens leiden, zonder dat een van ons beiden over dertig jaar komt gillen: 'Ik heb me zo opgeofferd! Waar is mijn beloning? Wat krijg ik nu? Ik heb prinsen en prinsessen geschapen door opoffering en uitgekiende trucs. Ik heb voor anderen hele werelden geschapen en nu vraag ik me af: waar is mijn beloning?'

Nee, ik wil niet dat we een leven leiden waarin we van elkaar moeten wegvluchten uit angst en overlevingsinstinct, in een laatste poging een eigen leven te scheppen.

En ik? Ik moet een van mijn grootste leugens aanpakken; ik heb je keer op keer verloochend. Ik heb je je verdriet over onze kinderloosheid ontzegd, ik heb je de rug toegekeerd en je moest maar huilen tegen het hoofdeinde van het bed en het enige wat ik zei was: 'Je kunt weggaan.'

Dat is onbegrijpelijk, niet onvergeeflijk.

Ik heb je een donkere nacht vol dood en koplampen ontzegd. Het eerste wat ik deed was jou van alles de schuld geven en denken dat je krankzinnig was en opgenomen moest worden, terwijl jij in werkelijkheid degene was die door het berekenende gedrag van het stel probeerde mij de waarheid te laten spreken. De schuld ligt bij mij en nu ga ik naar de politie in Étretat om te vertellen wat er is gebeurd en zij moeten maar met me doen wat ze moeten doen, ik zal een carrière armer zijn en daar ben ik bijna opgelucht en uitzinnig gelukkig over.

'Ik heb nooit iets aangepakt, me nooit echt ergens voor ingezet', zeg ik tegen Saga, die me nu met vermoeide ogen aankijkt.

'Jawel, voor mij.'

'Zolang er geen problemen waren, ja.'

'Maar nu doe je dat toch.'

'Ja. Nu.'

'Ik denk dat jij, net als ik, de liefde als iets metafysisch zag, niet als iets echts. Toen ik echt werd met al mijn schaduwkanten, en toen jij echt werd met echte problemen, dachten we allebei dat de liefde verdwenen was.'

'Toen begon ze pas.'

'Dat wist ik toen nog niet. Jij ook niet. We zijn op de vlucht geslagen.'

'Saga, jij bent de eerste die mij heeft gevraagd te leven, die vraagtekens zette en mijn zwijgen niet serieus nam. Ik dacht dat ik jou moest redden. Wat heb ik me vergist!'

'Je hebt me gered, gedeeltelijk, je hebt me mijn vertrouwen teruggegeven. Je hebt een relatie gebaseerd op liefde geboden, en daarna kon ik mezelf redden en mocht ik jou het vertrouwen dat je mij had geschonken teruggeven. Ik heb dat teruggegeven en ervoor gezorgd dat ik in m'n eentje overleefde, net zoals jij hebt gedaan.'

'Maar ik heb je verloochend.'

'Ja. En ik heb me laten verloochenen. Ik heb niet geprotesteerd. Je hebt mij in de armen van een ander geworpen, terwijl je jezelf in een grenzeloos medelijden over je eigen lot hebt gestort. Dat moet ik je vergeven, dat moet je begrijpen. Niet wat er met iemand gebeurt is het enge, maar wat iemand daarmee doet. We zijn ertussenuit geknepen, wij allebei. We zijn laf geweest, Zacharias.'

'En nu zijn we op weg terug.'

Op dat moment draaien we de weg op die naar Étretat voert en aan het begin daarvan staat een bord: WEG WEER IN GEBRUIK NA ONDERHOUDSWERKZAAMHEDEN IN JUNI EN JULI.

'Wat gek', zeg jij nadat je het hebt vertaald, hoewel ik het wel begreep omdat ik nu steeds meer van deze taal begrijp. 'In die tijd zijn wij toch gekomen?'

We rijden in de richting van de zee, langs de plek, en ik tril bijna helemaal niet. Jij trekt je schouders op en laat ze met een zucht weer zakken en lijkt enorm nerveus.

'Zacharias, weet je het zeker?'

'Ja.'

'Ik bedoel: weet je zeker dat we eerst naar de politie moeten gaan en niet naar monsieur en madame Léchampe? Misschien kunnen zij ons helpen.'

Ik schud mijn hoofd.

'Ik, wij moeten dit zelf opknappen.'

Jij knikt, pakt mijn hand en ik voel hoe die van jou helemaal klam is en je probeert weer te glimlachen, maar dat lukt niet. We stappen voor ons oude hotel uit de auto. Jij gaat naar binnen en vraagt de portier waar een dienstdoende politieagent te vinden is en we krijgen een adres waar we naartoe rijden. Het begint donker te worden en ik hoor hoe de golven steeds rustiger op het strand slaan, hoe de geluiden naarmate het donkerder wordt steeds gedempter worden. Jij klopt aan en we worden binnengelaten in een kamer die een mengeling lijkt te zijn van een politiebureau en een woonkamer. Door een deur helemaal achter in de kamer komt een man die kennelijk net de laatste hap van zijn warme maaltijd naar binnen heeft gewerkt.

'Madame? Monsieur?'

Jij kijkt mij aan en zegt: 'Laat mij maar.'

'Ja, maar ik kan tegenwoordig bijna alles wat jij zegt verstaan, en alles moet gezegd worden.'

'Ik wil dat we dit op mijn manier doen. Eerst. Lieveling, vertrouw op mij.'

Ik knik en jij loopt naar de man toe die zich voorstelt als monsieur Lefèvre. Na de gebruikelijke beleefdheidsfrases mogen we meelopen naar de keuken van het gezin; de slaapkamers bevinden zich op de bovenverdieping. Jullie schertsen wat en hij vraagt waar we vandaan komen en daar kan ik een antwoord op geven, dus dat doe ik. Daarna zeg jij: 'Monsieur Lefèvre, we hebben twee bekenden van ons deze week in Parijs ontmoet en ze maakten zich enorm zorgen over een ongeluk dat hier ruim een maand geleden is gebeurd. Ze zeiden dat ze ergens tegenaan waren gereden, maar niet hadden gezien wat het was. Ze zijn gewoon doorgereden en nu schamen ze zich ontzettend. Omdat ik deze streek een klein beetje ken, dachten we dat we hierlangs zouden kunnen rijden om eens te informeren.'

'Een ongeluk?'

'Ja. Ze zijn ergens tegenaan gereden. Op de weg tussen Fécamp en Étretat. Midden in de nacht.'

'Op de weg vanaf Fécamp?'

'Ja.'

'Maar die weg was heel juni en juli toch afgesloten.'

'Het hele stuk?'

'Ja.'

'Dat begrijp ik niet.'

'Je moest omrijden en van de andere kant komen; die weg hebben ze afgelopen winter al hersteld. De weg tussen ons en Fécamp was ontzettend slecht en is een paar weken geleden eindelijk gereedgekomen. Ik vraag me alleen af waar ze het geld vandaan hebben gehaald', zegt hij lachend.

We blijven zwijgend zitten en ik wil praten, maar ik weet niet wat ik moet zeggen.

'Maar als ze dan over die andere weg zijn gekomen?' vraag jij.

'Ja?'

'Is daar een ongeluk gebeurd? Ze hebben zich misschien vergist. Ik bedoel: het waren onbekenden en het was donker, misschien hebben ze die weg genomen en zijn ze dat vergeten, door de shock. Misschien liep er op de weg een man, die uit het niets opdook, en gebeurde er iets en reden ze door, hoewel dat verkeerd was.'

'Wanneer was dat?'

'Begin juli.'

'Ik zal het eens even nakijken.'

Hij blijft misschien een kwartier weg en het is stil en onaangenaam en ik weet niet wat ik moet zeggen, ik begrijp er niets van. Buiten voor het raam is de duisternis compact en ik ben bang, want ik besef dat ik niet door die duisternis heen kan kijken.

Monsieur Lefèvre keert terug.

'Rien, madame.'

'Niets? Zelfs niemand die verdwenen is?'

Hij schudt zijn hoofd, hij kijkt ons verwonderd aan en het dringt tot me door dat hij heel goed begrijpt dat dat stel dat we in Parijs tegen het lijf zijn gelopen – dat wij dat zijn.

'Kan ik nog iets voor u doen?'

'Nee. Dank u.'

We staan op om weg te gaan en ik wil alles tegenhouden, schreeuwen, tekeergaan, mijn straf ondergaan, maar waar moet ik over tekeergaan? Over een lijk dat er niet is? Een man die door niemand wordt gemist? Een gebroken nek toebehorend aan een man die moet zijn bijgekomen, uit de sloot is geklommen en verder leeft? Op een weg die er niet was? Dat kan niet.

'Jawel, trouwens, ik zou willen weten of monsieur en madame Léchampe er nog zijn. U weet wel, die mensen die in die fantastische witte villa wat verderop wonen', zeg jij.

'Jawel, die villa ken ik wel. Maar dat echtpaar niet.'

'Maar ze wonen daar al sinds de jaren zestig, zeiden ze. Iedere zomer, tot ver in het najaar.'

Monsieur Lefèvre kijkt opnieuw verbluft.

'Ik kan u er wel heen rijden, maar ik weet dat daar nu een jong gezin uit Lyon met kinderen woont. Het hele jaar door.'

We gaan in de auto zitten, jij tast naar mijn hand en ik weet niet wat ik moet denken. Ik ben opnieuw misselijk en probeer waakzaam te blijven, jij streelt mijn voorhoofd maar kijkt me niet aan.

'U weet hoe ze eruitzien?' vraagt monsieur Lefèvre.

'Natuurlijk', zeg jij geïrriteerd.

'We zullen eens even informeren.'

'Dat is erg vriendelijk van u.'

Hij lacht.

'Ik heb alle tijd van de wereld.'

We komen bij de witte villa aan, jij rent de auto uit en de politieagent en ik volgen je. Zeker van je zaak bel je aan alsof je ons wilt laten zien dat hier! – hier je vrienden wonen, dit is gewoon weer zo'n belachelijk misverstand en straks zullen we samen een glas wijn drinken en dan zullen we hierom lachen. De bel gaat, de bel gaat nog een paar keer, en ten slotte doet een jonge, donkerharige vrouw met een kind op haar arm de deur open.

'Bonsoir.'

'Bonsoir', zeg jij terwijl je kijkt naar het kind op haar arm.

'Ik was bezig met voeden, neem me niet kwalijk dat het zo lang duurde.'

'Dat geeft niet, wij zijn degenen die zo laat komen storen', zegt monsieur Lefèvre. 'We vroegen ons alleen af of hier deze zomer een familie Léchampe woont of gewoond heeft.'

'Natuurlijk niet, dat weet u toch! Wij wonen hier het hele jaar door.'

'Dat weet ik. Maar madame hier twijfelt daar een beetje aan.'

Hij corrigeert zichzelf na een blik op jouw hand.

'Mademoiselle twijfelt daar een beetje aan.'

Jij staat tegen de deurpost geleund, doet je ogen dicht en weer open en ik zie dat je iets wilt zeggen, maar niet weet hoe. Het kind begint te huilen, strekt zijn handje naar jou uit en jij geeft het kind je vinger die het vasthoudt en de moeder glimlacht naar je.

'Het spijt me dat ik jullie niet kan helpen.'

'Ze zijn een jaar of vijftig, zestig. Hij heet Philippe en zij Françoise. Heel aardig, een beetje ouderwets gekleed?'

'Helaas. Wij wonen hier al vijf jaar en ik heb ze niet gezien. Nu moet ik mijn zoon eten geven.'

'Ik begrijp het, pardon.'

Monsieur Lefèvre knikt, zij doet de deur dicht en jij keert je naar mij om en je kijkt zo verschrikkelijk bang.

'Zijn ze gestorven? Opnieuw?'

Ik trek je naar me toe en kus je voorhoofd, terwijl ik zeg: 'Maar ik heb ze ook gezien.'

'Wanneer dan?'

'Toen jullie op een ochtend zaten te ontbijten.'

'Jij weet wie het zijn?'

'Ja.'

Je glimlacht naar me en keert je triomfantelijk naar monsieur Lefèvre.

'Dat doet me ergens aan denken', is het enige wat hij zegt.

'Wat?'

'Die naam. Léchampe. Aan een ongeluk. Kom.'

We rijden terug naar het politiebureau en gaan in de keuken zitten, terwijl hij in een oude archiefkast in een kamer achter de keuken begint te rommelen. De klok tikt en ik houd je ene hand stil, daarna ook de andere, omdat je op de ene nagel na de andere zit te bijten.

'Hier! Ik wist het wel! Er hééft hier een echtpaar gewoond. Philippe en Françoise Léchampe. Verschillende zomers. Tot 1964.'

'Waar zijn ze toen naartoe verhuisd?'

'Ze zijn niet verhuisd.'

'Wat is er gebeurd?'

'Het stel reed een man aan. Hij reed op een motor op de weg naar Fécamp. Tragisch. Hij overleefde het, maar het echtpaar overleed. Ze overleden allebei.'

Hij voegt eraan toe: 'Ze reden in een gele Renault.'

En vervolgens: 'Hebt u niet ook zo'n auto?'

Ik schraap mijn keel.

'Inderdaad. Hebt u ook een foto van hen?' probeer ik.

Hij haalt een zwartwitfoto tevoorschijn van een echtpaar van ongeveer onze leeftijd, dat is gehuld in kleren uit de jaren zestig. De vrouw lijkt op jou.

Je kijkt naar de foto en je handen woelen door je haar terwijl je praat.

'Net een oude film. Alsof je je iets in zwart-wit herinnert. Als mensen die zich nooit bewegen, net als de herinnering aan je overleden ouders. Alsof ze nooit groei doormaken. Waarom kunnen ze niet ouder worden, zoals anderen?'

Monsieur Lefèvre zwijgt en ik wil jou redden, maar je onderbreekt me en naar hem toe gekeerd zeg je, met heldere stem: 'Wie van de twee zat er achter het stuur?'

'Ik reed', zeg ik.

'Hij reed', zegt hij tegelijkertijd, terwijl hij mij aankijkt.

Jij zit met de foto in je hand, kijkt ons aan, strijkt met je hand over de vergeelde foto en zegt met vaste stem tot monsieur Lefèvre: 'Zacharias bedoelt natuurlijk dat het de man was. Dat Frans, hè!'

Monsieur Lefèvre knikt begrijpend en ik weet niet wat ik moet denken, wat ik moet begrijpen, waar de schuld op neerkomt, wat ik nu moet doen, wie er is om voor te zorgen, óf er iemand is om voor te zorgen. Of er überhaupt iemand is. Buiten de duisternis.

'We willen de foto graag houden, als dat mag', zeg jij. 'Ze doen me denken aan mensen die ik gekend heb.'

We nemen afscheid, lopen naar onze auto en hij zegt niets want de tranen lopen over je wangen. We gaan in Urban zitten en kijken recht voor ons uit.

'Geloof me, je weet dat...'

'Stil! Schat. We gaan naar huis. Ik geloof je. Vertrouw op mij', fluister ik.

En jij knikt en haalt de kaart tevoorschijn en we rijden de hele nacht en er zijn geen antwoorden.

Zesendertig uur naar Zweden.

We moeten de wereld opnieuw duiden.

Z Zooma

ZOOMEN *de grootte van wat in het blikveld zit wijzigen met behulp van een zoomlens*

We doen de deur van onze flat van het slot met een sleutel waarop staat: THUIS. Jij hebt dat erop geschreven en pas nu dringt de strekking daarvan tot me door. Je handschrift is kinderlijk en ik realiseer me dat je al zo lang je je kunt herinneren een thuis hebt gemist, dat wij ons best hebben gedaan, maar dat het geen stand hield. Wij hielden geen stand. Jij dacht dat een thuis bestond uit een volle diepvries, versgebakken broodjes en een man met een keurige stropdas die thuiskwam om jou gelukkig te maken. Ik dacht dat een thuis bestond uit een opofferende vrouw van wie je op een slome maar toegenegen manier hield, terwijl je als man helemaal overwerkt was en 's avonds om elf uur zuchtend naar bed ging om je vervolgens af te vragen waarom je seksleven niet bevredigend was. De vrouw moest haar sympathie, haar medelijden en vervolgens haar totale verveling aanbieden en er was een wonder voor nodig om te voorkomen dat de echtscheiding niet alleen een feit was, maar ook noodzakelijk om twee zo gebonden zielen te kunnen bevrijden. We deden het allebei helemaal verkeerd en jij had jarenlang Britt als moeder en ik had al die jaren mama als moeder. Hoe had dat ook goed kunnen gaan?

En nu: THUIS, met kinderlijke letters, hoewel je tegenwoordig volwassen bent. Je houdt de sleutel in je hand, glimlacht vaag en probeert je mond open te doen, maar je weet geen geluid uit te brengen. Ik houd zoveel van je, ik houd zo ontzettend veel van je dat ik er bang van word en ik beloof dat ik je altijd het respect zal betuigen dat deze liefde meebrengt. Je houdt je hand op tegen het licht dat door de ramen van onze flat naar binnen stroomt. Er hangt een bedompte lucht en we lopen naast elkaar door de flat, sprakeloos, en het is alsof we in luttele seconden ons hele volwassen leven voorbij zien komen. Daar, daar staat jouw bureau, met je blauwe Parkerpen erop, waaraan je probeert een taal te vinden die verder gaat dan waar het alfabet ophoudt en daar! – daar staat mijn bureau waarop de tekening van ons luchtkasteel nog steeds ligt. In de keuken staan het pakje gist en de bakoven erop te wachten dat je de plaats zult innemen waarnaar je niet wilt terugkeren. En daar, daar staat het bed dat wonderen heeft beloofd en ook bewerkstelligd, maar waarin ik je, nacht na nacht, mijn rug zonder ruggengraat heb toegekeerd toen de messen mij levend verslonden. Voor het raam hangt de luxaflex waar ik altijd als stof tussen zat, toen ik dacht dat heel mijn wezen neerkwam op het hebben van een baan waarin ik bevestiging vond. Heel mijn ik, mama's ik, viel in stukken uiteen en ik liet niet toe dat jij me hielp, ik liet jou zitten in gesloten ruimtes, waarvan de architect niet eens op het idee was gekomen er een uitgang in te maken of een raam in te tekenen. Ik liet jou daar ronddolen en nu staan we in de flat die het begin van het einde was. Een hysterisch knipperend antwoordapparaat licht het allemaal op, hetgeen moet betekenen dat, terwijl wij levende doden waren en vervolgens levende levenden werden, er mensen hebben bestaan.

We gaan aan de keukentafel zitten en ik heb alle ramen opengezet om onze tranen te luchten. Ik heb de gist weggegooid, de stekker van de bakoven eruit getrokken, de luxaflex opgehaald, de lakens weggegooid en er alles aan gedaan om te zorgen dat de oude flat zijn macht over ons verliest.

'Saga?'

'Ik ben hier.'

'Het is gebeurd.'

'Dat weet ik. Het is gebeurd. En ze zijn overleden.'

'En wij leven. Daar hebben we voor gekozen. Wij mochten kiezen.'

'Terwijl zij, net als papa en mama, gedwongen waren te vertrekken.'

'Ben je verdrietig?'

Je glimlacht.

'Nee. Ik heb immers tijd gehad met ze te praten. Zij werden mijn volwassen ouders aan wie ik over jou mocht vertellen. Ze hebben me laten zien wie ik was en wie zij waren en nu is het voorbij.'

'Ja. Heb je de foto bewaard?'

'Ja.'

'Misschien moet je die nooit aan iemand laten zien.'

'Nee.'

'Aan Felicia niet. Aan niemand.'

'Dat begrijp ik.'

We begrijpen niets, maar onze handen strelen elkaar keer op keer, ik begeer je en ik heb al jouw schaduwkanten gezien, al je moed, al je zwakheid. Ik heb ook mijn eigen moed gezien, mijn eigen schuld en dat was onaangenaam, maar ik weet dat ik het hele leven voor me heb om alle deuren open te zetten en dat ik dat op tijd zal doen.

'Saga? Kun je je nog herinneren dat je tegen mij zei dat je nog nooit iemand was tegengekomen die zo'n taal voor geluk bezat?'

'Ja. Je bezat een taal zoals ik nog nooit had gehoord. Die heb je me geleerd.'

'Ik denk dat ik er ook een voor verdriet bezit. Dat het dezelfde taal is.'

'Dat denk ik ook. Ik wilde zo graag dat we de wereld opnieuw voor elkaar zouden duiden. Misschien hebben we dat ook wel gedaan.'

We praten alsof we tandwielen zijn: onze zinnen zijn absoluut noodzakelijk om ervoor te zorgen dat het wiel blijft draaien.

Je loopt de slaapkamer in, zet het antwoordapparaat aan en twee maanden stilte worden gevuld met alle stemmen die onze naaste omgeving vormen: onze familie, onze samenleving, ons leven. We zitten tegenover elkaar op het bed en luisteren hoe de ene stem de andere aflost.

'We doen onze ogen dicht', fluister jij.

En terwijl Felicia over Bea's tandjes vertelt, terwijl mijn vriend informeert hoe de herstelvakantie is verlopen, terwijl jouw grootvader vraagt hoe het met het droomhuis gaat, terwijl mama vraagt waarom ik nooit bel – pak jij mijn handen en legt ze op jouw borsten. We zijn weer thuis en ik weet dat dit voorgoed is en dat alleen dat echt belangrijk is. Dit vertrouwen in jou.

Midden in de nacht sta je op en begin je de post door te nemen. Met een vreemd fanatisme scheur je de ene envelop na de andere open en gooi je de brieven geïrriteerd aan de kant.

Wat zoek je? Een ansichtkaart uit het paradijs, van monsieur en madame Léchampe die de groeten doen en ons bedanken dat we hun schuld hebben ingelost? Een ansichtkaart uit zee waar je ouders al sinds jouw achtste jaar wonen en vanwaar ze nu laten weten dat het heel leuk was om Zacharias te ontmoeten, ook al was het dan op afstand? Een ansichtkaart van Effe waarop hij vraagt of die rare man van je nu gezond is, die man die zijn geliefde uitkleedt en aan een oude minnaar overhandigt? Of is het een ansichtkaart met liefdesverklaringen van iemand die erop heeft zitten wachten dat je thuiskwam en eindelijk besefte dat het nu afgelopen moest zijn met die architect wiens buik één zwart gat is, zonder vermogen om leven te scheppen? Ik til onze witte ijsbeer op en leg diens gezicht tegen het mijne, leg hem dan op mijn buik en geef hem liefkozende tikjes, zoals ik jou zo vaak heb zien doen toen ik niets begreep van je verlangen.

'Saga? Wat zoek je?'

'Een brief of een kaart.'

'Dat begrijp ik. Wat moet erin staan?'

'Een bevestiging dat er vergeving bestaat, dat er genade is en dat niets zich meer mag herhalen.'

'Wie moet die kaart hebben gestuurd?'

'Britt.'

'Britt? Heb je haar geschreven?'

'Ja. Uit Frankrijk.'

'Waarom?'

'Omdat ik wilde vertellen over het schunnige geluk van mijn ouders, wat dat werkelijk inhield, dat dat niet alleen een kwestie van mazzel was en dat het nu tijd is om te vergeven. Voor haar, voor mij, en voor mama's ouders. Hun gelukkige dochter heeft eindelijk troonsafstand gedaan en komt nooit meer terug, maar ze kunnen de zieke dochter krijgen, als ze haar maar willen zien zoals ze is en ooit geweest moet zijn.'

'Waarom?'

'Ik wil geen herhaling meer. Het mag niet gaan rondspoken, niet bij de kinderen van Felicia, noch bij de mijne.'

Je bijt op je lip, ik sluit mijn ogen en daarna doe ik ze weer open.

'Schat. Kom hier.'

Je gaat zitten en houdt mijn hand vast.

'Dat mag je best zeggen. Misschien komt het nog wel, op de een of andere manier. In Gods naam, Saga, als we maar praten. Vergeet dat niet.'

Je glimlacht naar me.

'Met jou.'

'Met jou.'

We gaan liggen met de ijsbeer tussen ons in en we liggen zo dicht bij elkaar dat onze ogen scherpte missen, maar in tegenstelling tot wat ik ooit heb gedacht, zorgt dat er juist voor dat we elkaar duidelijker zien.

'Zach. Je moeder heeft gebeld.'

'Dat weet ik.'

'Moet je nu niet met haar praten?'

'Dat geloof ik niet.'

'Waarom niet?'

'Omdat ik tot het inzicht ben gekomen dat het het beste zou zijn wanneer ik totaal vergeet dat ze bestaat, zodat haar macht over mij, over ons, verdwijnt.'

'Maar je vader dan?'

'Hem kan ik misschien af en toe wel eens ontmoeten.'

'Heel pijnloos.'

'Wat bedoel je?'

Je gaat rechtop in bed zitten en laat de ijsbeer los.

'Begrijp je dat niet? Op een dag zul je achter mijn rug je ogen ten hemel slaan, net zoals je dat tegenwoordig bij je moeder doet! Dat heb je al gedaan.'

'Inderdaad.'

'Op een dag zul je met meer interesse de culturele bijlage lezen dan dat je naar mij luistert, en je zult er niet eens over nadenken waarom je opeens vindt dat mijn ochtendjas er zo vreemd versleten en bekend uitziet.'

'Dat weet ik, maar...'

'Je hebt geen respect voor haar. Dat kan ik wel begrijpen. *Maar erger is dat je denkt dat dat er niet toe doet.* Dat je denkt dat je zo verder kunt leven, dat dat echt kan.'

'Saga?'

Je houdt je mond en kijkt ontzettend boos.

'Om te leven moet je vergeven.'

'Vergeef me', zeg ik.

'Zeg dat maar tegen iemand anders! Of vraag iemand anders om vergeving. Ik kan je niet meer helpen. Ik heb nu mijn eigen leven, jij kiest het jouwe.'

'Schat? Ik heb gehoord wat je zei!'

'Gehoord?'

'Je kunt niet verlangen dat iedereen precies dezelfde kijk op het leven heeft als jij! Ik besef wel dat je gelijk hebt en ik moet daar naar eigen vermogen mee aan de slag.'

Je knikt en ik zie hoe je begint te blozen, ik lach en druk je al worstelend neer op het bed en je bijt me wanneer ik jou kietel.

'Zacharias? Is het nodig dat ik zeg: sorry?'

'Dat geloof ik niet.'

'Nee, ik ook niet. Maar jij zult het best vaak moeten zeggen!' zeg je met een glimlach.

En we vallen in slaap in het Scandinavische licht dat bezig is over te gaan in een Scandinavische duisternis en daarin zullen we moeten leven.

Å Återvändo

TERUGKEER *geen terugkeer, geen weg terug, (fig.) onherroepelijk, geen mogelijkheid om iets ongedaan te maken*

Nee, er is niets gebeurd en er is van alles gebeurd. Ik kijk 's ochtends naar mijn handen en ik vraag me af wat er van ze terecht zal komen. Achter die handen bespeur ik een Zacharias die steeds meer intact is en die ergens weet dat hij het ervan moet nemen, als hij daartoe de moed maar had. Jij hebt het over genade, over de verlossing van de schuld van anderen. Dat klinkt mooi en omdat ik weet dat wij verlost werden, moet ik er immers wel in geloven. Toch begrijp ik jou niet; hoe kun je tien jaar terreur vergeven, jaren waarin je midden in een subtiele wraakoefening leefde waar je niets mee te maken had. Je bent eruit tevoorschijn gekomen, huidloos en getrimd, en alleen dankzij Felicia's geweldige – want dat begrijp ik nu – liefde voor jou heb je jaren van totale sprakeloosheid overleefd. Vervolgens heb je woorden gevonden en pas nu besef ik wat die voor jou betekenen. Ik heb zo veel jaren met een jargon geleefd waarbij ik de clown uithing en jullie het publiek waren, ik heb niets gedaan om de rollen om te wisselen. Mijn taal is blijven steken en ik heb me nooit gerealiseerd waarom ik geen woorden kon vinden.

Jij hebt met behulp van woorden jezelf overtroffen, maar je

kon niet leven en toen kwam ik en je hebt gezegd dat ik je door de liefde het vertrouwen terug heb gegeven en dat dat het mooiste cadeau is dat een mens kan krijgen. Ik heb je het mooiste cadeau gegeven en het doet me veel plezier te bedenken dat ik – de clown, het dikke jongetje, de prins die nooit een prins werd – een vrouw vertrouwen en kracht heb geschonken.

'Je moet het hele alfabet doorlopen. Daarna ben je vrij.'

Ben ik vrij? Ben ik vrij om onafhankelijk van mama eigen keuzes te maken? Ben ik er vrij in de buikpijn, het prestige, de prestatiedwang, de leegte, de hoogmoed, het schuldgevoel te laten vallen? Ik weet het niet, maar ik ben degene die die vragen moet beantwoorden en dat is niet gemakkelijk, maar wel onvermijdelijk.

Er is niets gebeurd en er is van alles gebeurd. We staan 's ochtends op en alles begint opnieuw: we nemen de telefoon op wanneer die gaat en soms is het Felicia die belt, soms is het een vriend, soms jouw grootvader, maar nooit papa of mama. Die bestaan niet meer en het is de bedoeling dat ik me opgelucht voel, nu alles voorbij is en ze me geen van beiden nog kunnen beïnvloeden. Ik voel alleen leegte en 's avonds zie ik je vragende blikken. Als antwoord knik ik, jij houdt je hand op mijn buik en de pijn is bijna weg, maar de leegte is er nog. Na de dood zou het leven komen en ik besef dat ik, net als jij, daarvoor moet kiezen. Als ik maar wist hoe.

Ik ben begonnen met het tekenen van het huis waarover we het hebben gehad. Geen droomhuis, geen sprookjeskasteel, maar een huis waarin mensen een eigen kamer kunnen hebben, een eigen leven vlak naast elkaar, maar zonder elkaar jaar in jaar uit op te vreten. Behalve de eigen kamers heb ik open ruimtes en veel nooduitgangen ontworpen, zodat we ons niet in gesloten ruimtes hoeven te bevinden. Het moet een huis worden waarin je kunt ademen, samen en afzonderlijk, en waarvan de deuren open zullen staan voor degenen die we verkiezen onze vrienden te noemen. In het midden van het huis moet een hoge ruimte komen waarin banken, schoorsteenmantels en eetkamertafels zijn ingebouwd, als om te tonen dat dit een huis is dat gemaakt is om in te leven; het kan nooit leeg worden. Ik heb nog nooit zoiets getekend.

Dat is het enige wat ik doe, hele dagen, en ik ben heel gelukkig. Jij kijkt met een glimlach naar me, jij geeft me het geld dat je verdient en ik neem dat aan en ik ben niet dankbaar, het is gewoon een gegeven. Ten slotte vinden we voor mij een kantoor waarin ik ruimte zal hebben om te tekenen en mensen te bellen die misschien willen zien wat ik maak. Het is een heel stil geluk, omdat het helemaal van mezelf is en losstaat van iemand anders. Wanneer jij af en toe bij mijn kantoor aanklopt, is het alsof de tijd heeft stilgestaan en ik vraag of je een kop koffie met me wilt drinken en jouw glimlach is alles. Ik had niet gedacht dat het leven zo was, ik had niet gedacht dat de liefde zo zou zijn. Tussen mijn bijna gesloten oogleden door kijk ik naar jou en ik voel je genot in de ruimte tussen mijn vingertop en jouw huid.

Op een dag tref ik je voor de spiegel aan, naakt, met een medisch naslagwerk in de hand. Je staat daar helemaal alleen en kijkt in het boek, kijkt naar jezelf, kijkt in de spiegel en vervolgens weer naar de plaatjes in het boek. Ik laat je met rust en loop gewoon langs je heen, maar je merkt mij niet op. Een kwartier later sta je nog steeds zo en ik moet bijna lachen, maar je kijkt zo verschrikkelijk serieus dat ik dat laat.

'Je bent toch niet ziek?' vraag ik.

'Nee.'

'Felicia dan?'

'Nee.'

'Waarom lees je dan in een medisch naslagwerk?'

'Ik moest een verandering controleren.'

'Heeft dat wat opgeleverd?'

'Ja.'

'Mooi.'

Ik loop de woonkamer in en bedenk dat we moeten verhuizen en dat als ik het geld had, we zouden verhuizen naar het huis dat ik nu aan het tekenen ben. Jij zou het een naam mogen geven en ik weet welke. Ik voel de koelte van de leren bank in mijn rug en ik vraag me af waarom ik niet ongerust ben, waarom ik niet aan de toekomst denk, hoe ik zo rustig kan zijn. Rustig met een gat in mijn buik waar vroeger de pijn zat. Een leeg gat dat gevuld moet worden met iets wat ik nog niet heb bedacht. Ik vermoed en ik weet wel wat jij zou zeggen, maar ik moet het zelf oplossen.

Je staat opnieuw voor me en nu zie ik dat je hebt gehuild, dat je je hebt aangekleed, maar dat je van streek lijkt.

'Wat is er?'

'Ik begrijp het niet, maar het is wel zo.'

'Wat?'

'Zacharias, kijk in het boek.'

Ik pak het medisch naslagwerk en de kop luidt ZWANGERSCHAP, het is een foto van hoe een vrouw eruitziet wanneer ze acht weken zwanger is en de vrouw lijkt niet op jou. Helemaal niet. Ik begrijp het niet. Wil niet, kan niet…

'Maar jullie lijken toch helemaal niet op elkaar! Zij heeft blond haar en jij bent niet zo klein en ik weet niet waarom je dit tegen mij zegt, alsjeblieft Saga, doe dit niet, je weet dat ik jou ook geen hekel aan mij kan laten krijgen, maar ik…'

Ik buig mijn hoofd voor de gedachten die komen en ik word bang voor mezelf, voor de pijn, voor het verdriet waarvan ik dacht ik het allang had verwerkt. Het is niet voorbij en het doet nog net zoveel pijn en ik huil, opnieuw, en jij kijkt naar mij en waarom kijk je zo vreemd?

'Zacharias. Het is zo.'

En dan, als een verpleegster tegen een zieke patiënt, ter verduidelijking: 'Ik ben in verwachting, Zacharias.'

Ik wil schreeuwen, ik wil lachen, ik wil je in mijn armen nemen en mijn tranen met je delen, mijn blijdschap, en daarna de uit negen maanden bestaande hoepel die naar een bepaald doel rolt – maar ik kan het niet. Totaal verstijfd ben ik en jij moet mijn wantrouwen zien, ik hoef jou niets te vertellen, jij ziet de twijfel door heel mijn lichaam en ik wil zo graag schreeuwen – maar ik kan het niet. Ik lijk wel behekst, zoals in Effes appartement toen ik mijn vertrouwen in jou verloor en de leugen die mij al zolang vanbinnen verteerde de overhand kreeg en ik niet meer wist wie ik was. Ik weet dat ik verkeerd handelde, ik weet dat ik nu verkeerd handel en hoe de omstandigheden ook mogen zijn, ik ben een aanstaande vader en daar zit jij, maar ik kan niets doen want ik kan niet helder kijken.

Het enige wat ik voel is wantrouwen en woede over het feit dat ik niet meedoe, dat het leven doorgaat en dat mensen tegen mij hebben gezegd dat ik ziek ben, gezond, misschien niet in staat, misschien wel in staat, misschien knap, misschien dom. Uit mezelf weet ik niets meer, behalve dat ik deze woede voel die ik eigenlijk zou moeten aankunnen. Wat hebben jullie tegen mij gezegd? Met welke leugens heb ik moeten leven? Wat zijn jouw leugens, de mijne, die van mama, die van de geneeskunde, van God, van de mythe? Help me.

Maar ik doe niets. Nee. Ik blijf zwijgend zitten en ergens

komen de blijdschap en de opluchting, maar ik doe alleen mijn ogen dicht en in gedachten zie ik een naam, steeds weer opnieuw, en door de tranen heen ben ik er niet zeker van of dat wel de mijne is.

Je hebt het gezien.

Je pakt je koffer en je loopt dwars door de kamer heen, dwars door mij heen. Daar kan ik niets tegen doen en het is lachwekkend verschrikkelijk en ik ben benieuwd of dit betekent dat we nu quitte staan, ondanks het feit dat dat woord al langgeleden zijn betekenis heeft verloren.

De hele avond zit ik daar, de hele nacht en ik zie hoe de zon nu in de herfst later opkomt, binnenkort komt de duisternis en ik weet dat ik die zal verwelkomen. Er wordt geen sleutel in het slot gestoken, er gaat geen telefoon. Ik blijf zitten waar ik zit en ten slotte ga ik naar mijn kantoor, kijk naar het huis dat leeg is en in werkelijkheid niet eens bestaat, ook al verschaft het mij net zoveel vreugde als de woorden jou verschaffen. Wanneer ik weer thuiskom, zijn jouw spullen weg. Ik ren als een razende rond door de flat en smijt dingen tegen de muur, totdat ik mijn eigen beeld opvang in dezelfde spiegel die jouw zwangere lichaam opving. Ik besef dat ik een klein dik jongetje zie dat nooit van een vrouw heeft durven houden uit angst dat ze op zijn moeder zou lijken. En ik besef ook dat jij niet alleen een zwangere vrouw zag; jij zag ook een vrouw die zo gewend was aan vertrekken, zo gewend was verraden te worden, dat dat bijna een zekerheid was geworden zonder welke je niet kon leven. Dat je het bijna als vanzelfsprekend aannam dat je in de steek zou worden gelaten, dat je dat gemist had en dat je nu ten slotte verraden en weer alleen was.

Op tafel ligt een briefje. Het is niet jouw handschrift. Alleen een naam.

FELICIA.

Je bent naar Felicia toe gerend en dat kan ik je niet kwalijk nemen: zij was degene die de deur naar de wereld openzette en zij heeft je het geluk aangeboden tegen een veel menselijker prijs dan ik heb gedaan. Door de flat loop ik, tot ik een muur bereik en dan keer ik om en tevergeefs zoek ik weer naar mijn woede. Ik zoek de Zacharias die verleidt, verwoest en vervolgens verloochent. Maar helaas, godzijdank, is hij verdwenen. Hij is verdwenen op een nacht in het dorp Étretat, op het moment waarop hij van zijn schuld, zijn leugens, zijn messen en zijn verdringingsmechanismen werd verlost. Ik kan je niet haten, alleen maar liefhebben. Ik heb je oogleden gestreeld en jij hebt je ogen gesloten.

Ik heb je drie keer verloochend. Dat is onbegrijpelijk, niet onvergeeflijk – ik heb je drie keer verloochend.

Vergeef me.

Ä Älska

LIEFHEBBEN *liefde voelen voor; geven om; (soms) gemeenschap hebben*

Er gaat een windvlaag door de flat wanneer ik zit te ontbijten, er gaat een windvlaag door de flat wanneer ik 's avonds naar bed ga. Ik weet niet wie die windvlaag is, waar hij vandaan komt, ik weet niet eens of hij met mij te maken heeft. Maar de windvlaag fluistert: 'Je lichaam is in kleine stukken gereten door gemis en verdriet. Je zult proberen te vergeten, je zult proberen met iemand anders opnieuw te beginnen, maar je woorden zullen niet toereikend zijn. Hoe moet een ander begrijpen waar Saga en jij geen woorden voor nodig hadden? Jullie hadden bijna de andere kant van de voorspelbare taal bereikt, maar jij bent afgeknapt, opnieuw. Je kon niets vergeven, niets begrijpen. Je zag een andere naam voor je ogen opflitsen, en opnieuw gebruikte je de schuld als wapen en je werd een martelaar en Saga bleef alleen achter.'

En de windvlaag draait in mijn flat en ik pak onze, mijn ijsbeer tussen mijn vingers en als ik mijn ogen sluit, kan ik voelen hoe ons ongeboren kind zijn vingertjes sluit om mijn duim, als een belofte dat het leven nooit ophoudt: dat alles een aangeboren mogelijkheid bezit om opnieuw te beginnen. Vertrouwen. Ik weet niet waar dat vandaan komt. Ik ben niet in de steek gelaten; ik heb mezelf in de steek gelaten. Alleen ik ben nog over en ik weet dat ik nog een heleboel rollen moet doornemen voordat ik klaar ben – precies zoals jij zei. Jij hebt het over genade, over vergeving, over het voorkomen van de herhaling van het verschrikkelijke, en ik heb me gebukt en ben weggedoken, want ik wilde het niet horen. Wilde het niet. Maar nu kan ik niet eens kiezen. De woorden waarvoor ik terugdeinsde, bevinden zich niet meer in ons huis. De enige woorden die er nog zijn, zijn die van mezelf wanneer ik af en toe iets vervloek, of wanneer ik de hoorn van de telefoon opneem om te praten over dingen waarvan ik de inhoud niet zou kunnen navertellen. Ik dool rond in deze gesloten ruimtes waarvan de architect de nooduitgang vergeten is en de gevangene de betekenis.

Ik mis je. Ik mis je, ik haat je niet. Ik heb geprobeerd je te haten, want ik weet dat je niet mag doen wat jij hebt gedaan. Je kunt niet gewoon je koffers pakken en vertrekken. Maar misschien moest je dat wel doen om erachter te komen dat je ook die mogelijkheid had. Dat jij niet de enige was die in de steek gelaten kon worden, maar dat je iemand was die zelf ook een ander in de steek kon laten. Je hebt me in de steek gelaten en dat kan ik je niet kwalijk nemen. Over zijn alleen nog mijn rollen waar ik doorheen moet leren kijken. Ik moet de verloochening leren begrijpen, waarom die zich de hele tijd herhaalt. Waarom ik mijn hand niet uitstrek, zoals jij deed toen ik in de wastafel overgaf, waarom ik niets doe.

Mama.

Het is over, het is voorbij en het is nooit voorbij, nooit voorbij. Ik moet terug, met deze leegte, met deze onmacht, met deze botte messen. Terug naar het huis waar mama op zoek was naar prinsen en waar ik de enige kandidaat was die zich vrijwillig liet beknotten, als de poedel van de buren voor het dressuurconcours. Hoe moet je vergeven?

Ik neem de bus naar de niet zo trendy buitenwijk. Het is een vroege zondagochtend en buiten het busraampje zijn de bomen gehuld in geel en vervolgens rood en rond alle kinderen die in allerlei buggy's de bus in en uit worden gereden, hangt de lucht van appelmoes en klamme wollen sokken. Ze kijken me strak aan en ik fluister een verbouwereerd 'hoi' als antwoord, waarop ze knikken en vervolgens naar hun moeder kijken.

Wie is die man? Wat doet hij hier?

Ik wil antwoorden: dit is een man die zijn tweeëndertigste verjaardag alleen heeft gevierd. Dit is een man die van een vrouw houdt op een manier die alle verstand en alle verwachtingen te boven gaat, maar het was niet genoeg. Dit is een man die door het gemis 's avonds blootsvoets en voorovergebogen rondloopt, zo'n gemis dat zijn gewrichten er pijn van doen en als hij om zichzelf kon lachen, deze vervallen prins, dan zou hij dat doen. Dit is een man die op weg is naar zijn moeder om uitleg en begrip te vragen, en om zijn genade aan te bieden, misschien achttien jaar te laat.

Maar het kind is al naar buiten gereden en als decorstukken die verwisseld worden zit er al een nieuw kind, terwijl ik weet dat er maar één echt kind bestaat.

Met mijn groene regenjas om mijn schouders spring ik tussen de plassen door en opeens ben ik een jongetje dat op weg van school naar huis is en mijn blijdschap over het feit dat mama er echt ís, is overweldigend. Misschien hield ze toch wel van mij, onder haar ideeën over geluk aan de andere kant van het gazon. Misschien hield ik op mijn manier ook wel van haar, zelfs toen de betovering werd verbroken. Misschien houd ik nog steeds van haar, maar dat kan toch niet? Ik heb er zo genoeg van steeds de schuld op anderen te schuiven, mij van mijn eigen schuld vrij te pleiten, dat ik ook die mogelijkheden onder ogen moet zien.

En terwijl ik de deur open van het huis dat zich nooit ontwikkelde, alleen ik ontwikkelde me, ben ik zelfs niet bang meer, alleen kalm en vervuld van dezelfde overtuiging die jou ooit uit de waanzin in Britts huis moet hebben gered.

'Mama? Papa?'

Geen antwoord en ik vraag me opeens af of ze verhuisd zijn. Het is elf maanden geleden dat ik ze voor het laatst heb gezien en misschien zijn ze eindelijk vertrokken, opnieuw begonnen en woont hier nu een nieuw gezin en kan alles weer opnieuw beginnen. Nee, niet opnieuw! Niet opnieuw, en ik ben de enige die daar iets tegen kan doen, zoals jij dat ook hebt geprobeerd. Ik ga aan de achterkant naar buiten en daar staat mijn mollige, mooie vader met een schop in zijn hand uit te kijken over de dennen. Stil blijf ik in de deuropening staan tot hij zich omdraait en zijn gezicht verandert wanneer hij glimlacht. Ik ben ontroerd en moet diep ademhalen om niet in huilen uit te barsten. Wat is er toch met me?

'Papa?'

'Zacharias!'

Hij loopt naar me toe, spreidt zijn armen uit en ik sla mijn armen om zijn rug en in plaats van de gebruikelijke klap op de schouder sta ik mezelf toe de warmte te voelen die een zesenvijftigjarige man zijn enige zoon kan schenken.

'Zacharias! Ik heb je gemist. En ik ben ongerust geweest. We hebben Saga's zus gebeld en zij vertelde dat jullie in Frankrijk zaten, maar daarna hebben we niks meer gehoord. Je moeder gedraagt zich, ja, heel eigenaardig. Sinds je niets meer van je hebt laten horen, heeft ze zich teruggetrokken en helemaal niets gezegd. Het is verontrustend. Vooral de laatste tijd.'

We gaan naar binnen en papa schenkt twee glazen jenever voor ons in en ik vraag me af of we ooit wel eens alleen hebben zitten praten. Zonder mama. En of ik daar ook enige moeite voor heb gedaan.

'Papa?'

'Ja.'

'Er is zoveel waar we nooit over hebben gepraat. Zoveel dat langs ons heen is gegaan.'

'Ik weet het. Ik had daar al eerder iets aan moeten doen, maar mama en jij hadden als het ware een soort verbond waarin ik niet echt welkom was, en, ja…'

Hij trekt zijn ene schouder op en lacht een beetje en ik besef tot mijn vreugde dat we op elkaar lijken. Ik zie ook waar mijn gevoel voor humor vandaan komt. Waarom ik heb overleefd, waarom hij heeft overleefd.

'Mama, ze heeft me gekwetst. Ze heeft…'

'Je moeder is erg overheersend. Heel overtuigend.'

'Ze zag dat ik ziek werd', fluister ik.

'Ja. Daar had ze niet op gerekend.'

'Wist jij het?'

'Nee. Maar ik ben achter een heleboel dingen gekomen. Nu je moeder niet tot daden in staat is, is gebleken dat ik redelijk daadkrachtig ben.'

Hij lacht opnieuw, maar stopt opeens.

'Zacharias. Het spijt me. Ik heb mijn ogen gesloten, ik liet jou mijn plaats innemen en ik weet niet of dat te vergeven is. Zelfs niet of het uit te leggen is, of ik wel begrijp wat er is gebeurd.'

'Ik heb je buitengesloten.'

'Inderdaad.'

'Papa. Ik begrijp het. Het is nu over, voorbij. Ik wil dat het afgelopen is.'

Hij knikt en kijkt weer uit over de dennen. Op de een of andere manier is het vreemd: zou het nu voorbij zijn? Al mijn pijn, al mijn messen – het kan toch niet voorbij zijn? Ik moet genoegdoening krijgen, ik móét…

'Je moeder was een heel ambitieuze vrouw toen ik haar leerde kennen. Heel erg. Maar toen raakte ze van mij in verwachting, en daar had ze waarschijnlijk geen rekening mee gehouden. Helemaal niet. En haar eigen carrière raakte vergeten, ze vergat die zelf en geloofde niet meer in een eigen leven en daar gaf ze mij de schuld van. En later jou. Dat ze zelf niet in staat was tot een gelukkig leven, daar gaf ze ons de schuld van.'

'Ik begrijp het.'

'Soms vraag ik me af: is er eigenlijk iemand die we verwijten kunnen maken, jij en ik. Behalve ons eigen gebrek aan daadkracht?'

'Ik weet het niet.'

'Ik denk het niet. Ik denk niet dat ik haar kan bekritiseren, niet eens medelijden met haar kan hebben, haar alleen maar kan vergeven', zegt hij terwijl hij mij met wazige ogen aankijkt.

Ik knik, niet in staat mij te verroeren. Niet in staat me te bewegen, maar wonderlijk bevrijd.

'Ik heb met Saga gepraat', zegt hij.

'Dat begreep ik al haast.'

'Ze heeft het me verteld. Over de reis, over het kind, over jou. Ik realiseer me nu hoe belangrijk het was wat ze zei. Begrijp je?'

'Ja.'

'Dus wat ga je doen?'

Ik haal mijn schouders op en voel me alleen maar hulpeloos en ik wil huilen of zo veel drinken dat ik beneveld en vergeetachtig word.

'Ze is weggegaan. Zij zijn weggegaan.'

'Heb je ze dat gevraagd? Nee toch.'

'Ik weet het niet.'

Hij zucht, komt naar me toe en legt zijn zware hand op mijn schouder en zijn hand is sterk en ik weet dat ik dat ook moet zijn, nu hij dat heeft gedurfd.

'Heeft ze ook met mama gepraat?'

'Ja. Maar ik weet niet waarover.'

'Ik denk dat ik nu naar huis moet. Dat ik ga. Dat ik moet gaan.'

'Ga maar.'

'Maar ik wil dat we elkaar weer zien.'

'Ik ook.'

Ik sta met mijn jas over mijn arm bij de buitendeur en dan komt mama binnen en ze schudt de waterdruppels van haar regenjas. We staan oog in oog en ik word overweldigd door haat en woede en vertwijfeling en de wil om haar te slaan, haar te omhelzen, bij haar te huilen, tegen haar te schreeuwen, haar te troosten, haar te vergeven. Ze gaat op het bankje in de hal zitten en ziet er moe uit. Ik probeer wat te zeggen. Ik probeer Saga te zijn, maar ik kan het niet. Ik kan alleen ik zijn.

En zij is degene die zegt: 'Ik weet niet of ik het je ooit kan uitleggen.'

'Nee.'

'Ik weet niet eens of je mij wel zou geloven.'

'Nee.'

'Maar ik wil dat je één ding weet, Zacharias. Toen je veertien jaar was, vertelden de dokters mij dat je onvruchtbaar was. Ik heb ze toen gevraagd of ze daar absoluut zeker van waren en ze antwoordden ontkennend. Ze zeiden dat er een kans bestond en ze zeiden dat het met je geestelijke gesteldheid te maken had; omdat je niet evenwichtig was, zou het beter zijn als je hier niets van wist. Ik dacht dat je gezond zou kunnen worden en een grotere kans had om kinderen te krijgen als je het niet wist.'

Ze zwijgt en laat haar regenjas tussen haar vingers door glijden.

'Ik wilde dat je die kans kreeg.'

Ik knik en wil mijn mond opendoen, maar het enige wat ik zie is de open deur en ik wil naar buiten, zo is het genoeg. Voor ik helemaal buiten ben, keer ik me naar mijn eigen moeder om en fluister: 'Dank je. Dank je, mama.'

Ik wil zeggen: bedankt, mama, dat je mij het vertrouwen terug hebt gegeven, bedankt dat ik nu niet meer hoef te ontkennen, bedankt dat je misschien toch van mij hebt gehouden, voorbij het schuldgevoel.

Maar ik zeg niets meer en ik hoor haar ademhaling en dat is meer dan ik kan verdragen en ik ren naar de stad, de bussen hijgen in mijn nek en ik moet jou terug zien te krijgen.

Ik ren naar een telefooncel, draai het nummer van Felicia die de hoorn opneemt en niet kan horen wat ik zeg, omdat ik zo hijg.

'Felicia!'

'Ja? Met wie spreek ik?'

Ik leun tegen het glas van de groene telefooncel en spreek mijn eigen naam uit.

'Met Zacharias.'

'Dat dacht ik al. Heb je gerend?'

'Ja. Een heel stuk. Is Saga er ook?'

'Ja.'

'Mag ik haar spreken?'

'Je weet dat dat niet mag.'

'Felicia! Er zijn vier maanden verstreken. Ik kom naar jullie toe.'

'Dan is ze er niet.'

'Maar wat moet ik doen? Zeg alsjeblieft wat ik moet doen.'

'Ik denk dat ze wil dat je daar zelf achter komt.'

'Maar dat doe ik ook!'

'Dat zal haar plezier doen.'

'Felicia?'

'Alsjeblieft, Zacharias. Je weet dat ik veel voor je voel, maar ik kan niet anders. Dat kan ik niet.'

'Ik hou zoveel van haar.'

'Dat weet ik.'

'En zij?'

'Ze weet het. Maar dat is niet altijd genoeg.'

'Nee. Het is niet genoeg.'

Ik schud mijn hoofd en de regen stroomt langs het glas van de telefooncel en zo dadelijk zal de telefoon gaan piepen als om te zeggen dat het leven nu afgelopen is, nu zijn er geen hulpbronnen meer over en er zit niets anders op dan naar huis gaan en een zwart laken over je hoofd trekken tot je doodgaat en dan bellen de buren de politie, als ze in staat zijn de lucht te herkennen.

'Zeg?'

'Ja.'

'Is ze erg vertwijfeld?'

'Nee. Maar jij wel, Zacharias. Jij wel.'

Dan komt de pieptoon en ik heb geen geld meer en de hoorn van de telefoon hangt tussen mijn benen, als een krachteloos geslachtsdeel, en er is maar één weg naar huis.

Ö Öm

ZEER *zeer doen, pijnlijk zijn (bij aanraking)*

Er zitten drie kanten aan mijn hoed, aan mijn huis nog meer. Ik bekijk het vanuit alle denkbare hoeken. Onze eigen kamers, onze eigen muren waarvan ik had gewild dat we ertussen zouden wonen. Jij, ik en het kind dat als een kunstwerk groeit in je buik die steeds verder uitrekt. Wanneer ik mijn ogen dichtdoe probeer ik te zien hoe jij je door de kamers van Felicia beweegt. Ik denk dat je nu een beetje achteroverleunt, dat het je aan te zien is dat je bent veranderd. Dat te zien is dat je borsten groeien in de wetenschap dat ze voeding aan iemand anders dan jezelf moeten geven, voeding aan iemand anders dan ik. Je loopt rond in de flat van Felicia en ik weet dat je je eigen aanblik in de ene na de andere spiegel tegenkomt. Ik weet dat je glimlacht. Misschien zeg je, als ik mijn ogen dichtdoe hoor ik je zeggen: ik zal voor je openbarsten, voor jou, die mijn kind wordt. Je zult me verdelen in pijnen die ik niet kan beheersen. Ik zal in tweeën worden gespleten en ik zal er heel uitkomen en wanneer ik mijn ogen open, ben ik weer half. Want ik zal recht in een paar helderblauwe ogen staren die op mijn eigen ogen lijken. Jouw schreeuw zal harder zijn dan de mijne en allebei zullen we bloeden. Je zult aan mijn borst slapen en daarna hebben we de rest van ons leven voor ons om elkaar te leren kennen. Jij zult willen weten hoe alles zo is gekomen en ik zal willen weten waar jij vandaan komt, hoe je persoonlijkheid is ontstaan. Ik wil weten waarom je mij koos, waarom je ervoor koos uit mij te worden geboren. En ik, ik zal vertellen over mijn ouders die in zee verdwenen, om tweeëntwintig jaar later weer op te duiken en vervolgens opnieuw te verdwijnen.

Naar een leven vol fouten, naar een leven zo ver verwijderd van de perfectie, zal ik je voeren. Voorbij de voorspelbare taal zullen we wonen. Voorbij de laatste letter van het alfabet, waar het leven opnieuw begint. Ik zal je het alfabet van begin tot eind leren en daarna zijn we vrij. Jij en ik.

Jij en het kind. Jij en het kind dat in je lichaam groeit in totaal vertrouwen dat het er aan de andere kant uit zal komen, dat jij voldoende van hem zult houden. En hier sta ik. Voor de maquette van het huis dat nog niet bestaat. Ik heb aan alle kanten nooduitgangen getekend: verandadeuren, grote ramen, een heleboel uitgangen en geen enkele voor mij. Niet in staat opnieuw met leven te beginnen, leef ik een plaatsvervangend leven.

Toch voel ik me vreemd levendig; dit gemis houdt me alle uren van het etmaal wakker en wanneer ik buiten bij de portiek een auto hoor stoppen, ren ik naar het raam, trek de stoffige luxaflex omhoog en kijk naar buiten. Maar nooit ben jij het. Op een cd zonder krassen zingen ze: 'Ze komt terug!'

En ik glimlach, spring op het bed op en neer en bereid me voor op wat ik zal zeggen, tot de man zingt: 'Ze komt nooit meer terug.'

Het koor is het daarmee eens, iedereen is het daarmee eens, en ik ben een gek in een luchtkasteel, een afgezette prins zonder erfenis, een werkloze architect, een onvruchtbare die in staat is kinderen te verwekken, een loochenaar, een moordenaar die zijn straf is ontlopen, een clown, een entertainer – ik ben Zacharias en het was erg moeilijk om dat te zien.

Als je komt, wil ik zeggen, als je terugkomt zul je een andere Zacharias zien. Een Zacharias die meer intact is. Een Zacharias met een eigen leven, een eigen geloof, een eigen besef van hoe hij zijn problemen moet oplossen. Buiten jou om. Je zult een Zacharias leren kennen die de betekenis van het woord genade heeft ingezien.

En als ik de kans kreeg zou ik eraan toevoegen: lieve Saga, zie zelf die betekenis alsjeblieft ook in.

Want beloven dat ik je nooit weer zal verloochenen, kan ik niet; jij ook niet. Het leven waar mijn moeder om vroeg, bestaat niet. Maar wel een heel ander leven. Als je me maar zou laten, Saga.

Op een avond schrijf ik je een lange brief. Hij zit vol tranen, gemis, martelaren en demonen. Ik verstuur hem met een bezwaard hart en verwacht geen antwoord. Alleen medelijden. Maar er komt een cassettebandje. Trillend van nervositeit stop ik het in de cassetterecorder die ik beneden in mijn kantoor heb staan, waar ik alleen zit. Ik druk op de knop waar PLAY op staat en wacht af. Er is niets te horen. Helemaal niets. Ik spoel het bandje door. Wacht af. Speel de andere kant af, tik tegen het bandje en wacht af. Niets. Je hebt geen woord gezegd en ik bal mijn vuist en ik haat je zo, houd opnieuw van je; ik weet wat je van me vraagt, maar ik weet niet of ik dat red.

Ik start het bandje en praat. Ik praat de hele nacht en ik vertel over de Zacharias die ik echt ben. Zonder medelijden. Ik vertel over de uitverkiezing waar ik het slachtoffer van werd toen ik je zag. Hoe je naar me keek en hoe ik wist dat dit een vloek was, een verliefdheid, dat ik het verschil niet goed kende. Verzadigd van liefde ben ik je gevolgd, en het geluk dat dat meebracht was de grootste verrassing van mijn leven. Het verdriet, de leegte die daarop volgde evenzeer. Ik vertel over de koplampen, over de schuld en hoe ik mij daarvan probeerde te bevrijden door hem op jou te schuiven, zoals ik gewend was. Over alle rollen die ik speel, over mijn gebrek aan vertrouwen in jouw kracht, over mijn lafheid vertel ik. Over hoe ik dacht dat jij krankzinnig was en ik gezond, over het feit dat zulke verschillen niet bestaan.

Ik praat door wanneer het bandje allang is opgehouden met draaien en ik stop het in de blauwe brievenbus buiten bij mijn kantoor, het is ochtend, heel koud en ik ben mijn jas vergeten. Ik loop door de stad en opeens ben ik niet bang meer. Als ik iemand zou tegenkomen die ik kende, dan zou ik mijn mond opendoen en die persoon zou de eerste zijn die mij in een vreemde taal hoorde spreken: mijn eigen taal. Mijn oren doen pijn van de kou, mijn tenen schrijnen en al lopend blaas ik warme lucht tussen mijn handen en wanneer ik recht door de opening kijk, zie ik licht. Hoe zei jij het ook alweer?

'Slapen in het donker en dan zo het licht in rennen.'

Als je het mij vroeg, zou ik het aandurven. Vraag het me, Saga.

Wanneer ik de deur van de flat wil opendoen, is hij al open. Jij zit op een stoel bij het raam, ik zie je gezicht van opzij en je hebt een glas water voor je staan. Je buik is enorm, het lijkt wel of hij voor de zitting van de stoel hangt en ik krijg de neiging naar je toe te rennen om die buik op te vangen als hij op de grond zou vallen. Jij neemt een slok uit je glas en ik weet dat je mijn gezicht kunt zien dat in het raam weerspiegeld wordt, in de duisternis. Ik weet niet wat ik moet zeggen, hoe ik mijn taal moet gebruiken en ik zak neer langs de muur en kan niet ademen. Jij zegt: 'Weet je nog hoe we hier altijd met een liedje meezongen?'

Je verwacht geen antwoord.

'Ik weet nog dat ik vond dat het zo'n raar liedje was om mee te zingen. Dat liedje dat jij had gekozen, waarbij je op tafel stond te blozen in de oude kleren van mijn vader. Weet je nog?'

Je neemt nog een slok en ik vraag me af hoelang je hier al zit, of je de hele nacht hebt gewacht, of je nu zult blijven, of je van me...

'Ik zong, nee, ik fluisterde dan: *I love you.* En jij, jij antwoordde onverschillig, zoals je dacht dat rocksterren zouden doen. Jij zong: *Sure.* Jij antwoordde: natuurlijk, zeker, hou je van mij, wie kan er nou van iemand hóúden in deze wereld, en daar moest je dan om lachen. Wij moesten daarom lachen en we zongen dat lied keer op keer. Gek hè', zeg je.

Je zit in gedachten te knikken en haalt je hand door je haar. Knikt weer en draait je vervolgens om en kijkt me aan.

'Weet je wat hij zong? Weet je wat hij in werkelijkheid zegt? Dat lijkt misschien onbelangrijk, dat weet ik. Het is absurd, maar weet je wat hij zegt, nu ik er eens goed naar heb geluisterd?'

Ik schud mijn hoofd, ik schud, ik wil zo graag de verandering van je lichaam voelen, maar ik ben als een lammetje.

'Hij zegt: *Show me.* Toon me, toon me hóé je van me houdt, dát je van me houdt. Dat is wat hij zegt.'

Je lacht een beetje.

'We hebben het al die jaren fout gezongen. We hadden het helemaal fout.'

En ik knik, ik wil je iets teruggeven en vertel over mijn pas ontdekte taal, dat ik je nu zie, dat ik mezelf zie – maar waar zijn de woorden? We kijken elkaar aan, ik steek een hand uit en jij ziet die en knikt. Ik sta op, val op mijn knieën voor je en ik leg mijn mond tegen je buik, je borsten, je hals, je lippen. Ik ga met mijn hand door je haar en je trilt en ik hoor je fluisteren: 'Lieve Zacharias. Je bent mijn beste vriend. Mijn beste vriend? Hoe zal ik?'

En het enige wat ik wil fluisteren, de enige woorden van allemaal die ik kan vinden zijn: ben je gekomen om te blijven of om te gaan?

Maar ik ben sprakeloos, ik leid je naar het bed en ik ga tussen je borsten liggen met mijn hand op ons gemeenschappelijke kind, met een voor eeuwig onuitgesproken vraag, als een serie letters achter mijn gesloten ogen. Het enige wat ik hoor is je stem, die fluistert terwijl je huilt: 'Vertrouw op mij. Vertrouw gewoon op mij.'

Soms klinkt het alsof je tegen mij praat, soms tegen het kind en – God weet of ik het begrijp – soms klinkt het alsof je tegen jezelf praat.

'Vertrouw op mij.'

Alsof onze benen het niet langer kunnen dragen. Alsof dit zowel het einde als het begin is. Alsof het onderscheid niet meer zo groot is en we alles vanaf het begin hebben geweten, als we maar in staat waren geweest om het goed te beheren.

Ik neem je smalle gezicht tussen mijn bevende handen en ik fluister je recht in je ogen, eindelijk kan ik dat: 'Ik vertrouw op jou.'

Barbara Voors bij De Geus

Slapeloos

Savannah rouwt om haar vijf jaar geleden gestorven zoontje Martin. Ze lijdt aan slapeloosheid en wordt gekweld door een anonieme belager die haar 's nachts e-mails stuurt. Uit de berichten blijkt dat de afzender goed op de hoogte is van Savannahs verleden.

Zusje van me

Saskia en Klara, tweelingen, delen alles met elkaar. Tot de dag waarop Klara spoorloos verdwijnt. Tien jaar later vindt Saskia Klara's dagboeken. En een krantenknipsel waarin een verband wordt gelegd tussen Klara's verdwijning en een dubbele moord op een man en een vrouw die zij goed kende.

De aardbeibeet

Als Molly haar man betrapt met de oppas, vallen haar wereld en haar gezin in duizend stukken uiteen. Molly probeert te begrijpen wat er aan de hand is. Dat de scheiding niet op zichzelf staat maar slechts een onderdeel is van de ineenstorting, wordt duidelijk als ze haar dagboek terugleest en er vreemde berichten bij haar worden bezorgd die op lugubere wijze haar dood aankondigen.

De zussen van mijn dochters

Lucy wordt na een overdosis een New Yorks ziekenhuis binnengebracht. Acht jaar daarvoor was ze verdwenen. Haar zus Annie reist vanuit Zweden naar New York en vertelt op aanraden van de behandelend arts haar levensverhaal aan Lucy. Hun andere zus, Mimmi, stuurt haar verhaal per e-mail, zodat Annie ook dat kan voorlezen. Langzaam wordt het beeld duidelijk van de jeugd van de zussen en hun alleenstaande, hardwerkende moeder.

Dooi

Op een winterdag lopen Fredrik en zijn dochtertje Elin het ijs op om spoorloos te verdwijnen. De wereld van Iris, sinds tien jaar gelukkig getrouwd met Fredrik, lijkt te vergaan. Volgens de politie is er sprake van een ongeluk, maar een bevriende officier van justitie heeft zijn twijfels. Wie ook verteerd wordt door verdriet is buurvrouw Sofie. Zij blijkt in het geheim een verhouding met Fredrik te hebben gehad.